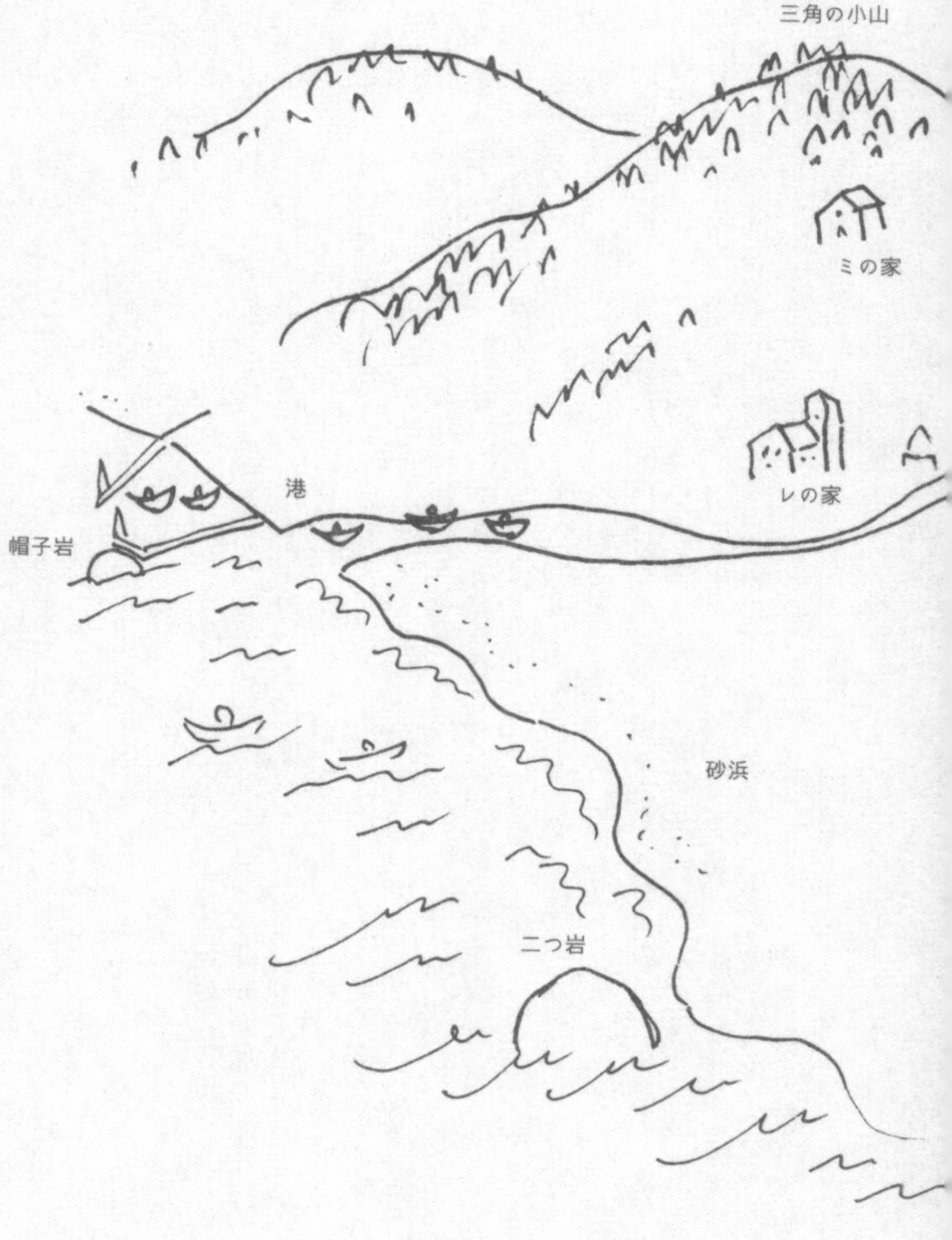
三角の小山
ミの家
港
レの家
帽子岩
砂浜
二つ岩

ファおじさん物語

春と夏

未知谷

——目次——

主な登場人物

レ　小学生

ラ　レの姉、中学生

ファ　レとラの叔父《おじ》

ミ　レのクラスメイト

ル　青い小鳥

ファおじさん物語　春と夏

プロローグ

「さよなら」

男の子が言いました。

「さよなら　また明日《あした》」

女の子が言いました。


男の子は町の方へ。

女の子は山の方へ。

男の子の家は小さな町を通り抜《ぬ》けた海岸《かいがん》の近くにありました。

女の子の家は　その町をすっかり見おろせる丘のようにひくい山の中腹《ちゅうふく》にありました。

「さよなら　ミ」

男の子は　もう一度ふり返って　言いました。
でも　ミと呼ばれた女の子の姿は　もう坂の桜《さくら》の木の向こうに　見えません。
けれども　桜の木のうしろから声だけがしました。
「さよなら　レ　また明日」

するとレと呼ばれた男の子は　にっこり笑って　町の方へまっすぐ駆《か》けて行きました。


桜の木は　まだ葉も出ていません。

雪もまだところどころ　残っています。

でも　レは　もう半ズボンをはいて　ひざこぞうを出しながら　ぱたぱたと風を切って行きました。そして角をまがったところで　おじさんが歩いているのを見つけました。

「こんにちは　ファおじさん」

レが言いました。

「やあ　レ」

レのおじさんが言いました。

「おや　今日《きょう》から新学期なのかね？」

ファおじさんは　レのランドセルを見て言いました。

「うん　そうだよ」

「だが　今日は帰りが早いな」

「うん　今日は　ただ学校のおそうじをしただけだよ」

「ああ　なるほど」

空はすっかり晴れて　お日様はまだ空のいちばん高いところまでは行っていません。

「昨日《きのう》もよく晴れていたね　レ。春休みのおしまいの日は何をしたんだい？」

「うん　山へ……」

レはさっきミがのぼっていった　三角形の丘《おか》のような山を見やりました。

「ふうん」

ファおじさんもその山の方を見て　レが昨日のことを何か話すのかな　と黙《だま》っていました。

でも　レもただにっこり笑って　黙《だま》っているだけでした。

＊

その日　夕暮《ゆうぐ》れにはまだもう少し間《ま》がある頃《ころ》　空の高いところに弧《こ》を描《えが》いて　青い小鳥が　まるで何か水晶《すいしょう》の糸でもこするような声で啼《な》きました。
その声は　町の音にまぎれて消《き》えました。
でも町の中で　その声を聞いている人が　ひとりだけいました。

その人は　アパートの高い窓《まど》から　その鳥が降《お》りて来るのを待《ま》ちました。
すると小鳥は　さあっと流れ星のように　まっすぐと　その人の部屋の窓枠《まどわく》に降《お》り立ちました。
「さあて……」
それを見て　その人は言いました。
「今日も　聞きたいことが　ひとつあるんだよ　ル」
すると　小鳥は　あちらを見たり　こちらを見たり　小首《こくび》をかしげたりしました。
その人は　ぼんやり町のむこうに見える　海を見ていました。
小鳥のルは　やはり水晶の糸をこするような声で啼きました。
でも　その人は　ふんふんとうなずきました。
その人には　小鳥の言うことが　ちゃんとわかるのでした。
小鳥のルは先《ま》ずこう話しました。
「こんにちは　ファ」
「こんにちは　を言うのを忘《わす》れていたね　ル」
ファおじさんはそう言って　笑いました。
そして　すぐに黙って　耳をかたむけました。

ルは言いました。

「どんなことが　ききたいの?」

「うん　さっき　レに会ったんだが　きのうのことをきいたら　ただ〝山へ〟と言ったきり　黙ってにっこり笑っていた。どうして黙ってにっこりしたのかな」

「ふうん……それじゃ　話してあげましょう　いつものように」

「うん　そうしておくれ」

そこで　ファおじさんは　さっそく窓のところに椅子《いす》を寄《よ》せ　遠くに見える三角形の山に向いて腰《こし》かけ　目を閉《と》じました。

(それはミの家のある小山です)

小鳥のルは　すぐに涼《すず》し気な声でさえずり始めました。

と　いつの間にやら　ファおじさんは椅子の中で気持よさそうに　くうくう眠ってしまいました。
それからルは　ファおじさんの肩《かた》にのり　耳にささやき始めました。
するとファおじさんの夢の中に　昨日のレと　おねえさんのラが現《あらわ》れました……

ファおじさんの夢（4月のスケッチ）

「あら　ふくじゅ草《そう》が……」
朝はやく　ラはカーテンを開けて
思わずそうつぶやきました。
（昨日《きのう》はなかったのに　いつのまに庭に咲《さ》いたのかしら……）
ラは下へ降《お》りて　庭のいけがきのそばの　ふくじゅ草のところに行ってみました。
（ふうん……これは植えたばかりのものだわ。土に跡《あと》があるもの……）
黄色いつぼみはまだ半分しか　花を開いていませんでした。
ラは　家の二階の窓《まど》を見上げました。
（きっとレが山からとって来たんだわ）
二階のレの部屋の窓には　まだカーテンがかかっていました。

朝の日差しが　その窓いっぱいにあたっていました。

*

その朝はやく　レは堤《つつみ》にひき上げられた大きなつり舟《ぶね》のへさきをくぐりぬけて　海岸の方へおりて行きました。

朝の砂浜《すなはま》には　誰《だれ》もいませんでした。

レはかがんで　穴《あな》のあいた小さな貝がらをひろいました。

そして　もっと他にないだろうかと　しばらくあちらこちら行ったり来たりしました……

*

ちょうど庭で　ラがカーテンの閉《し》まったレの窓を見上げていた時　ラのうしろで　クッ
クックッと笑い声がしました。

おどろいてふり返ると　いけがきの外に　レが立っていました。

「ほら　びっくりした？」

レが言いました。

「いいえ……ちっとも」

ラはわざとなんでもなかったふうに言いました。

「あ　そう？　僕《ぼく》きっと　今　びっくりすると思ったのに」

「ふうん」

ラはちょっと笑いました。

「でも僕　まだ二階で眠《ねむ》っていると思ったでしょう?」

「……いいえ　ちっとも」

「あ　そうなの?　どうしてわかったの?」

「ええ　それは……」

ラは何も言えなくなって　黙ってにっこりしました。

レはまた　ふふっと笑いました。

「ねえさん　ほんとはさっきから何も知らずに　今僕が来たのだって　とってもびっくりしたんでしょう。僕さっきから見てたんだから」

「あら　ふうん……」

ラは　またちょっとおどろ

いたように言いました。

「それじゃ……今　私がここで何してたか　知ってた?」

「うん　それはね……」

レはほんとうは　今　来たばかりだったので　何も言えずに黙《だま》りました。

「ほら　これ見てたの」

ラはふくじゅ草を指《ゆび》さしました。

「これ　レが植えたんでしょう?」

「うん　どうしてわかったの?」

「レ　いつも山に行くから」

「ふうん」

レはそのふくじゅ草のそばに　しゃがみました。

ラも同じようにしゃがみました。

それからレは　ポケットから今ひろってきた貝《かい》が

らをとり出して　ふくじゅ草のまわりに　円《まる》くならべ始めました。
「……ふうん　いいね　それ」
ラが言いました。
「うん」
二人は黙って　ふくじゅ草をみつめました。
庭の地面は　いつのまにか　すっかり朝の日差しでいっぱいになっていました。
そして　かすかな蒸気《じょうき》が立っていました。

＊

日が高くのぼりはじめると　レは三角の小山へ出かけました。
そうして　林の奥《おく》の　ミの家までやって来ました。
ところが　ミの家には誰もいませんでした。

レは家のうしろの庭に行ってみました。
そこには　昨日《きのう》ミといっしょにとってきたふくじゅ草が　三つ花を咲かせていました。
レはその花のまわりにも　今朝《けさ》ひろった貝がらを　円くおきました。
けれども　三つ目のふくじゅ草には　貝がらが足《た》りなくて　半分しか輪《わ》をつくれませんでした。

＊

ミが山の家に帰ると　もう太陽は山の頂《いただき》をこえて　ほんの少し西に傾《かたむ》いていました。
縁側《えんがわ》にはあたたかく　日差しがあたって　ミはちょっと　しょうじのかげでうとうとしました。
そうして　いつのまにかミは　ぐっすりと眠ってしまいました。
太陽は　ゆっくり　ゆっくり　西の空を渡《わた》って行きました。
影《かげ》が　少しずつ長くなって行きました。
（あら　あれは何かしら……）
ミは夢の中で思いました。
（何かの影が　しょうじにうつってる……木《こ》の葉《は》が散《ち》っているのかな……）

ミは夢の中で　目をこすりました。
（ううん　今は春だもの　木の葉は散らないわ……何だか……あれは　ひらひらと　お魚が泳《およ》いでいるんだわ……）
ミは夢の中で　目をぱしぱしさせました。
（……でもどうして　しょうじにお魚がうつっているのかしら……外はどうなっているのかしら……）
するとミは　はっと目を覚《さ》ましました。
いいえ　それも夢でしょうか。目の前のしょうじにはやはりゆらゆら魚の影が　うつっているではありませんか。
ミはもう一度　目をこすりました。

すると　しょうじには淡《あわ》い西日が明るくうつっているだけで　魚などいません。

（ふうん……）

ミは辺《あた》りを見まわしました。

（もう目が覚めちゃった……でも……ほんとの夢は　どこまでだったのかしら……）

ミは縁側のしょうじを　開けてみました。

外はまだ　明るく太陽が光を落としています。

（あ　ふくじゅ草が咲いた）

ミは　縁側を下りて　ふくじゅ草のそばにしゃがみました。

（あら……）

そのときミは　花のまわりに円く並んだ白い貝がらを見つけました。

そうしてミは　すぐに　今日ここに来たのが誰か　わかりました。

（ふうん……）

ミはしばらくそれをじっとみつめてから　ふと貝がらをひとつ手にとって　夕陽《ゆうひ》にすかしてみました。

するとそこにぼんやりにじんだ光は　何やら海の中にでもいるように見えました。

＊

……
ふと　ファおじさんが目を覚ますと　青い小鳥はもう　夕暮《ゆうぐ》れの空を　遠《とお》く　山へ帰って行くところでした。
ファおじさんは今見た夢を　小さなちょっと厚《あつ》めの手帳《てちょう》に書きとめました。
「まだ……」
とファおじさんは　手帳の残りの白いページをぱらぱらとめくって　つぶやきました。
「……一年くらいは書けそうだ……」
それからファおじさんは　その手帳を机《つくえ》のいちばん上のひき出しに　しまいました。
やがて　手帳は　ルがきまぐれにやって来るたびにその白いページを　文字《もじ》で埋《うず》めて行きました。
そして手帳は　こんな風に続いて行きました。

カッコウの声（5月のスケッチ）

五月の最初《さいしょ》の日曜日です。
その朝はやく　レはミの小山をのぼって
行きました。
春の朝は　まだ少し寒いくらいです。
山の上には　ぼんやり霧《きり》がかかっていて
太陽の光も山の霧にさえぎられています。

レは立ち止まって　桜《さくら》の幹《みき》をなでてみました。
すると　手はびっしょり露《つゆ》にぬれました。
ミは家の前に　立っていました。

でもミは　山の上の方をぼんやり眺《なが》めているのでした。
レが昇《のぼ》って来たことにはちっとも気づかないようです。
レは足を早めて　声をかけようとしました。
そして　ふと　やめました。
（そうだ　ミはきっと　何か
に耳をすませているんだ）
そう　レは思ったのです。
レも立ち止まって耳をすま
せました。
でも　何も変わったものは
きこえませんでした。
町の音が　下からぼんやり
しているだけでした。
レはまた歩き出して　ミのそ
ばに行きました。
でもミは　いつまでも山の上の方

を向いて　じっとしていました。

レはミのすぐそばまで来て　声をかけようとしました。

するとミは　じっと山の上に顔を向けたまま　不意《ふい》に言いました。

「レ　聞こえた？」

「……え？」

レはちょっと驚《おどろ》いて　ミのうしろ姿《すがた》を見て　それからまた霧《きり》につつまれている山の上の方を見上げました。

「何？……何が？」

「聞こえなかった？」

「うん……」

するとミは　やっとレの方を向きました。

レはにっこり笑って　言いました。

「ミ　僕　今来たの　とっくにわかってたの？」

「うん　足音でわかったの」

「ふうん　僕　てっきりしらないと思ってさ　びっくりさせてやろうと思ったのに」

「ふうん」

ミもにっこり笑いました。

「でも　僕の方がびっくりしちゃったよ　今」

「うん」

「ね　ミ　さっきから耳をすませて　何聞いていたの？」

「うん　でも　もう聞こえなくなったの」

「ふうん　何だろ」

「さっき　一度だけ聞こえたの　かすかだけれど　はっきりと」

「あ　きつつき？」

「ううん」

「鳥なの？」

「うん　かっこう」

「ふうん　かっこう……ないたの……僕まだ　今年一度も聞いてないよ」

「うん　私も　さっきはじめて聞いたの」

「それきり　なかない？」

「うん　それきり……」

「ふうん……」

それから　レとミは　いっしょに耳をすませました。

じっと山を見上げていると　霧が動いて行くのがかすかにわかりました。

「霧が　ほら動いてくね……」

「ええ　この山を遠くから見たら　私たちきっと　雲《くも》の中にいるみたいに見えるわ」

「ふうん……ほんとの雲の中って……僕の思ってた雲の中とぜんぜんちがうみたいだ」

「うん」

二人は　それからまたしばらく耳をすませました。

「……かっこう　もう　なかないみたいだ」

「……ええ　そうねえ」

二人は　ちょっとがっかりして山を見上げました。

「か　っ　こ　う」

レが山に向かって　なきまねをしました。

レの声は霧の奥の谷間に　ひびくようでした。

「ク　ッ　ク　ー」

ミがもっと上手《じょうず》に　なきまねをしました。

ミの声もやはり　霧の中をひびいて行くようでした。

二人は耳をすませました。

「……かっこう　今の僕らの声　きいたかな?」

「うん　きっと　きいたわ」

「仲間《なかま》がいると思ったかな」

「さあ　何だか　へんな声だぞって　思ったかも知れないわね」

ミは笑って言いました。

「うん　ミ　もう一度ない

てみてよ。ミの方が　上手だったもの」

そこでミは　もう一度　かっこうのなきまねをしました。

それからまた二人は　耳をすませました。

「かっこう　返事しないね」

「うん　山のむこう側へ行ったのかしら」

「それとも　ねむくなったのかな　早起きしすぎて……」

「さあ……」

「ね　ミ　かっこうって見たことある?」

「ううん　声だけ」

「ふうん　僕もさ」

と　その時　辺《あた》りが急に明るくなりました。

「あ」

「あ」

二人は息をのんで　山を見上げました。

霧がいつの間にか晴れて　太陽が出たのでした。

二人は　しばらく　まぶしそうに　山の明るい頂《いただき》を眺めました。

やがて　レがひとり
言《ごと》のように　言《い》いました。
「ね　僕　なんだか　こう
思ったよ」
「うん　なあに？」
「僕なんだかね　さっきの
かっこうが　霧を晴らしてくれ
たように　思ったんだよ」
「ふうん……」
ミは　にっこり笑いました。

いつの間にか　他の山の鳥の声がしていました。

「あたたかくなったんで　他の鳥　啼《な》きはじめたんだわ」

「うん　ほんとだ」

レは　そちらの方へ　二三歩　歩きかけました。

すると　その時　ミが「あら」と　小さな声で言いました。レはふりかえりました。

「どうしたの？」

「うん　今なんだか　かっこうが……」

「ほんとう？　僕　きこえなかった……」

「ええ……私も　そんな気がしただけかも知れない……ほんとうに　かすかだったから」

ミはまだ　耳をすませているように言いました。

「山のずっと奥？」

「うん　そうかも知れない」

「ね　ミ　もう少し山の奥へ行ってみよう。かっこう　ないているかも知れない」

「うん」

それから二人は　やっと咲きはじめた山桜《やまざくら》が　煙《けむり》のようにあちらこちら見えている林の中を登って行きました。

*

その日の夕方　レが山から帰って　家の門を入ると　ちょうどラも　外から帰って来たところでした。

「あら　レはどこへ行って来たの?」

「うん　山で　かっこうをさがしてたんだよ」

「ふうん　みつけた?」

「ううん」

ラは　ふと思い出すようでした。

「そういえば　私も今朝《けさ》　かっこうの声をきいたわ」

「ほんとう?」

「ええ　レが出かけて大分《だいぶ》後に　私も外へ出ようとしたら　遠くの方から」

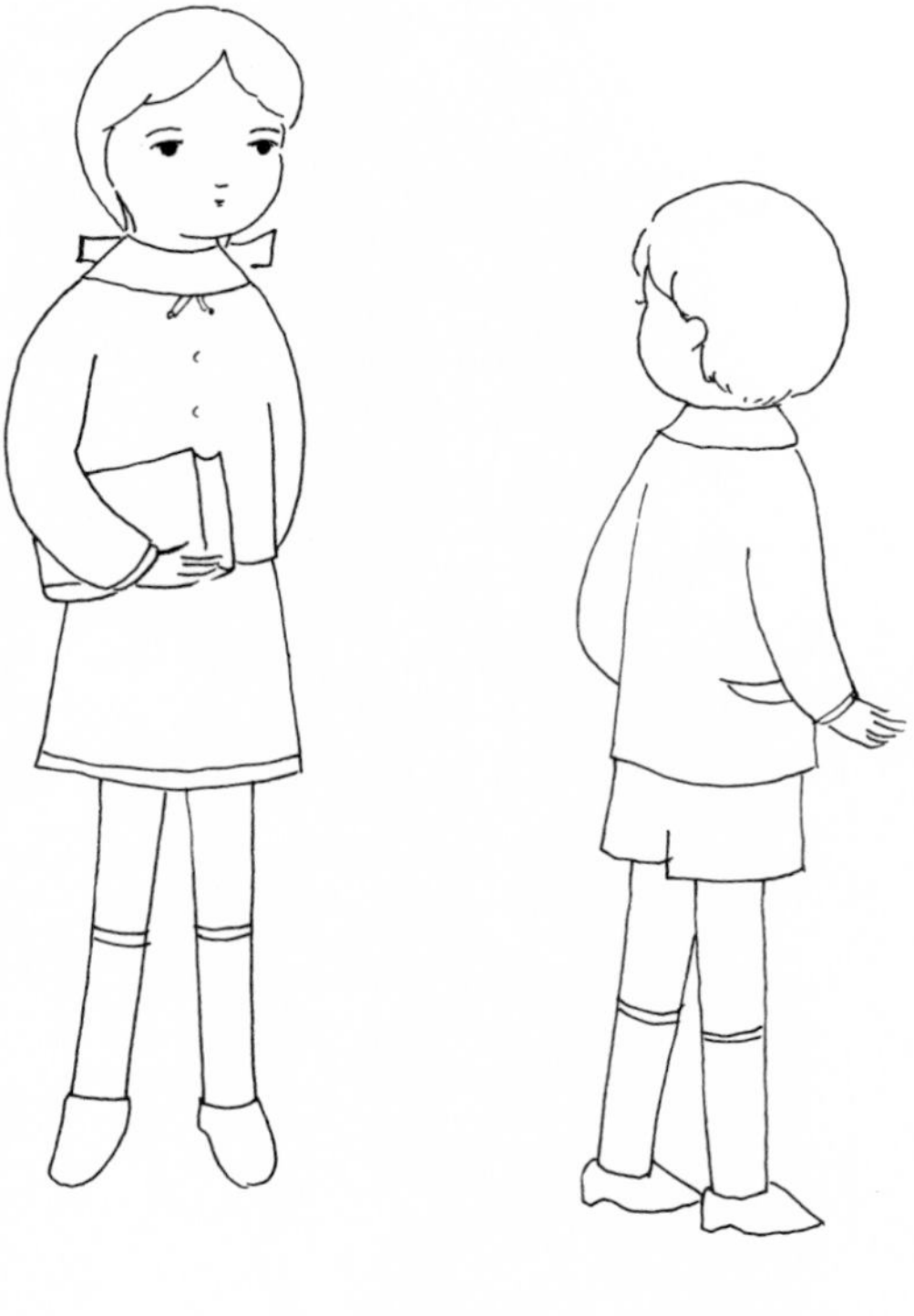

「ふうん　山の方?」

「うん　よくわからない　遠かったから」

「ふうん……」

……山のかっこう　町へ来たのかな……それとも　ねえさんがきいたのは僕やミの　かっこうのなきまねかも知れない……

レはそう思って　思わずにっこりしました。

「ねえさん　かっこう　見たことある?」

「いいえ　声だけ」

「ふうん」

レは　先に玄関《げんかん》のドアを開けました。

すると　うしろでラが
「あら」と小さな声で　言いました。

「どうしたの?　かっこう?」

「いいえ　ほら　レの頭の上

に……」
そう言ってラは　レの髪《かみ》に
ついたものを　つまみました。
すると　それは　露《つゆ》にぬれ
た一枚の桜の花びらでした。
「あ　きっと　山の奥を歩
いているときについたんだ」
「ふうん……もう山の桜　咲い
ているのね……」
二人は玄関のところで　山をふり返りました。
日が暮《く》れて　影《かげ》が昇《のぼ》りはじめた山は　まだ頂だけが明るく照らされて光っていました。
ところどころ　桜の木は　ようやくぼんやりと白っぽく見えはじめたばかりです。
二人は黙《だま》って山をみつめました。
すると　その時　なんだかレは　どこか遠いところで　かすかにかっこうがないたよう
な気がしました。

遠い山（5月のスケッチ2）

「ほら見て　あんなところに　桜かしら……」
ミが遠くの山を　指さしました。
レもそちらの方を見て　目をこらしました。
すると　うす紫《むらさき》色にもやのかかった山の一
点が白くぼうっとなっています。
「ふうん　小さな小さな　雲かも知れないよ」
「うん　そうかしら」
二人はしばらく　その山の中に見える白いも
のを見つめていましたが　それはいつまでも同
じところに　じっとしていました。

「ふうん　やっぱり　桜が咲いているんだ」

「ええ　そうねえ」

ミは自分の家の前の　大きな桜を見上げました。

「ここに咲いている桜の木も　あの遠くの山から見たら　あんなふうにぼうっと見えるのかしら」

「うん　そうだね」

レはふと　その遠くの山の桜に向かって　大きく手をふりました。

「どうしたの？」

ミがちょっと驚《おどろ》いて　ききました。

「うん　あの山にいる人に見えるかな　と思って」

「ふうん　あの山で今　見てる人いるかしら」

「うん　いたら僕が今手をふったの　見えたと思う？」

「うん　いたらいいのにね。やっぱりあの桜の木の下に立ってて　むこうでも手をふったらいいのにね」

ミも大きく　手をふってみました。

レもまた　同じようにしました。

遠い山はあいかわらず　ぼんやり　けぶったように　午後《ごご》の光をうけて　しんとしていました。

＊

庭に長く　くりの木の影が落ちていました。レが山から帰って来るころに　それはちょうど花の終ったふくじゅ草の上に落ちていました。レは二階に上がり　ミの小山の方を眺《なが》めました。ミの家から見えた　あの桜のみえる遠くの山はレの部屋からは見えません。レが見上げると　ちょうどその方がくの山の端《はし》に　小さな細長い雲が　うす紫《むらさき》色になって　消えて行くところでした。

＊

その夜　レは夢を見ました。

夢の中で　いつのまにか　レは山に登っていました。
そして　空には星がいっぱいに広がっているのでした。
ふうん……

レはあたりを見まわしました。
すぐそばに　桜の木が一本　煙《けむり》のように立っていました。
ふうん　ここは　ミの家のそばかな……
でも　違うようです。
星明かりが　遠くのけしきまで　ふしぎとくっきり見せています。
レがそれに見とれていると……
おや……
レは　ずっと向こうの遠くの山の中ほどに　ぼんやりと明るく光るものを見つけました。
そんなにも遠いのに　レが目をこらしていると　だんだんとそれははっきりと見えて来るのでした。
ああ　あれは　桜の木だ……でも　桜の木が　ぼうっと明るく光っているなんて　おかしいなあ……
レがもっと目をこらしていると　それはもっとはっきり見えてきました。
おや……だれか　木の下で手をふってる……
だれだろう　とレはもっともっと目をこらしました。
……だれだろう　ああ　ミかもしれないな……

ところが　それはミではありません。
レは驚いて　息《いき》をこらしました。
桜の木の下で手をふっていたのは　もう一人の別のレなのでした。
ふうん……

レはふっと　目が覚めました。
そしてレは　しばらくふとんの中で　町の光をぼんやり受けている　窓のカーテンを見つめました。
起き上がってカーテンを開けると　星が夢の中で見たように　空いっぱいに広がっていました。

＊

「僕　きのう　おかしな夢を見たよ」

「ふうん　どんなの?」

ミがききました。

レがきのうみた夢のことを話すと　ミはしばらく遠くの山の桜をみつめて言いました。

「ね　私　今　思ったの」

「ふうん　どんな?」

レもその遠い桜の木をみつめました。

ミは言いました。

「ほら　あの遠くの桜の木のところにも　別のレや別の私が住《す》んでいるの。そして別のレや別の私は　ここにいるレや私と同じことをしたり　思ったりしているの」

「ふうん　じゃ　今　あそこの桜の木の下に別のミや別の僕がいて　今と同じこと話してるの?」

「ふうん」

「ええ　そうなの。そうして　こっちで手をふったらあっちでも手をふっているの」

するとなんだかレは　ほんとうに　そんな気がしました。

「ね　ミ　僕たち　これからあそこまで行ってみよう」

「うん　でもきっと　とても遠くて　日が暮《く》れてしまうわ」

「ちょっと歩くと　行けそうだよ」

「うん　見はらしがいいと　とても近くに見えるけど　ほんとはそうじゃないって　父さんが言ってた」

「ふうん　そうなの。でも　もしむこうへ行って　僕たちが別の僕たちに会えたらいいのに」

「ううん　それはだめよ。だって私たちがむこうへ行ったら　むこうの私たちもこっちへ来てしまうもの。いつもすれちがって　決して会えないわ」

「ふうん　そうだね。同じことするんだものね。あ　そうだ　ミだけここに残ってて　僕だけあそこに行ってみたら　僕　別のミに会えるね」

「うん　ほんとうね」

ミは笑いました。

「でも私　ここに来た子が　ほんとのレだか別のレだかわかんないわ」

「うん　ちゃんと僕　あっちに行ったら言うよ〝僕は昨日《きのう》とちがうレなんだよ〟って」

「二人のレは同じこと言うでしょう?」

「うん」

ミは笑いました。

＊

レは山の帰り道で　もう一度ほんとうに　あの桜の木の下に行ってみたいなあ　と思いました。
(明日は土曜日だから　学校から帰ってすぐ行けば大丈夫《だいじょうぶ》だよ　きっと……)
そうして　家に帰ると　さっそく地図をとり出して広げてみました。

*

次の日の午後　ミは学校から帰ってから　庭の桜の木の下で草をとっていました。
すると　レが　小さくうたいながらのぼって来ました。
もう大分　陽《ひ》が西に落ち　桜の木の青い影《かげ》が長くのびていました。
「こんにちは　ミ」
「こんにちは　レ」
レが言いました。
レはにっこり　笑いました。
「あのね……僕　いつものレじゃないんだよ。あの山から来た別のレなんだよ」

「え?」
ミは驚《おどろ》いて　少し目を　ぱしぱしさせました。
「ほんとう?　別のレなの?」
「うん　はじめまして」
レはおじぎしました。
するとミは　にっこり笑いました。
レもにっこり　笑いました。
「ミ　今　僕をほんとうに別のレだと思った?」
「うん」
とそのとき　ふと　レの目の前を何かゆっくりと　落ちて行きました。
かがんでみると　それは桜の花びらでした。
おやっと思って見上げると　桜はかすかな風に　三つ四つと花びらを散らしています。

「ほら　あそこ……」

ミは遠くの山を指さしました。

レがみると　そこにはもう　あのけぶったように白く見えていた　桜の木はありません
でした。

「ふうん……あの桜　もうすっかり散《ち》ってしまったんだね」

「うん　もうどこだったか　わからなくなったわ……」

「僕　ほんとうに今日　あそこに行こうと思ってたんだ」

「ふうん」

「でも　地図みても　どのあたりなのか　よくわからなかったよ」

「ええ　桜も散ってしまったから　ふもとまで行ってみても　桜の場所　わからないわ
……来年まで……」

「うん　そうだね　来年まで……」

するとその時　谷間から　こうっと大きな風が　ふき上げて来ました。

そして　庭の桜を　いっせいに散らせました。

二人ははっと驚いて　空に広がった花びらを見上げました。

雲の影（5月のスケッチ3）

レは床屋《とこや》さんで　髪《かみ》をそろえてもらいながら　大きな鏡《かがみ》の中を見ていました。
鏡の中には　町の風景がうつっています。
鏡の中の町は　どこか遠いところのように　音もなく動いています。
おや
レはそのとき　見つけました。
ミが　鏡の中を通って行くのです。
（どこ行くのかな……）
でも　今は　うしろをふりむけません。
頭の上で　はさみがちょきちょき鳴って　最後の仕上げをしているところなのです。
鏡の中のミは　あっという間に見えなくなりました。

レは切った髪が目に入らないように　目をとじて（床屋さん　早く終わらないかな）と思いました。

＊

外に出ると　レはさっきミの行った方に　駆《か》けて行きました。
でも　通りをいくら行っても　ミの姿《すがた》はもうありません。

（ふうん　もう行っちゃった）
レは息を切らせて立ち止まりました。
広い通りの上を　雲の影《かげ》が走って行きました。
（ああ速《はや》いなあ……でも　自転車でならおいかけられるかな……）

レは空を見上げました。
小さなつみ雲が　太陽のそばを通りすぎて行くところでした。
雲は次々とやってきて地面に影《かげ》を走らせました。
(あんなに早ければ　ミにだって　すぐ追いつけるのに)
雲の影はレの上も通りすぎて行きました。
レはふと思いついて　近くにあるいちばん高い建物を　のぼって行きました。
そうして屋上から町を見おろしてみると　雲の影の走るのがよく見えました。
レはいつまでも　それを眺《なが》めていました。

＊

レが家に帰ると　郵便受《ゆうびんう》けの中に　何も書いていない封筒《ふうとう》が　入っていました。

中を開けてみると　種《たね》がたくさん入っていました。
（ふうん　これ　あさがおの種だ）
レはすぐに（きっとこれは　ミの入れた封筒だ）と思いました。
レはなんとなく　もう一度通りへ出て　辺《あた》りを見まわしてみました。
陽のあたる道の上には　あいかわらず雲の影が　ただ静かに流れて行くだけでした。

＊

あさがおの種　ありがとう。
今日ぼく　床屋さんでミを見たよ。
でも　ミは気づかなかったよ。
それから　雲の影も見たよ。
ミは　見た？

ミへ　　　　　レより

＊

おてがみ　ありがとう。

きのう　レの家に行ったら　だれもいないの。

帰って来《く》るかなと思って　ちょっと待ってたの。

それから　誰も来《こ》ないので　町の方をまわって　山の家に帰りました。

家に帰る途中で　山から海を見てたら　海はところどころ　色がちがって見えたわ。

どうしてかなって思ってきいたら　潮《しお》の流れがちがうからですって　父さんが教《おし》えてくれました。

レへ　　ミより

＊

その夜　風が強くなって　窓《まど》をしきりに　かたかた言わせました。

海の音が　レやミの家までかすかにきこえました。

朝に（5月のスケッチ4）

となりの家の桜《さくら》の木の上に見えているのは　白いアドバルーンかと思ったら　それは小さなまるい　雲なのでした。

雲は　見ている間に　いびつなひし形になり　細長くのびて　消えて行きました。

すると　同じところに　また別の雲が現われはじめました。

今度現《あらわ》れた雲は　細長く　だ円の形になりました。

（空のあそこは……）

ラは思いました。

（……まるで　何か　見えない力が　雲をつくっているよう……）

＊

レはこのごろ　学校へ行く前に　いつも庭のひとところにしゃがんで　何か見ています。
何かしら　とラは　レの行ってしまった後で　その場所へ行ってみました。
すると　よく日のあたる所に　大きな芽《め》が三つばかり　土の中から出ていました。
（ふうん　何だったかしら　この芽……）
ラは去年の春のことを　思い出そうとしました。
（何だったかな……）
ラは思い出せずに　そのまだ出はじめたばかりの芽を　見つめました。
そしてそのとき　ラは思いました。
（……ここにも……なんだか空のように　見えない力があるよう……）
それからラは　日のあたる門の戸を開けて　学校へ出かけました。

二つの歌（6月のスケッチ）

ヘリコプターが空を飛《と》んで行きます。
せんたく物を干《ほ》していたミは　思わず空を見上げました。
でも　ヘリコプターの姿は見えません。
どこだろう　というふうに空を見渡しました。
雲のうしろに入っているのかな……
「……ほら　あそこだよ」
急に声がしたので　ミは驚《おどろ》いて空から目を戻《もど》しました。
でも　その声の主《ぬし》も　姿《すがた》が見えません。
……おかしいな　今のはきっと　レだわ……
すると　ふふふと笑う声が　干したばかりのせんたく物のかげからしました。

そのせんたく物の下に
レの足が見えていました。
「足が見えてるわ　レ」
「ふうん」
レは　別のせんたく物の
かげへ　逃《に》げました。
ミもそちらにまわり込む
と　レはまた　別の方へま
わり込みました。
するとレのかげが　シーツ
の上に映《うつ》りました。
「ほら　シーツのうしろに
いる」
ミが笑って　言いました。
「ちがうよ　こっちだよ」
ところが　別のところからレ

の声がして　ミはふり返りました。驚《おどろ》いてもう一度シーツを見やるとそこには何も映っていません。

おかしいなあ　とミは思いました。

ミがもう追いかけて来ないので　レは向こうのせんたく物のかげから　出て来ました。

「僕も　手伝うよ」

「うん」

ミは笑いました。

*

すっかり干し終えると　せんたく物は旗《はた》のように　風にゆれました。

「いつも　ミがせんたく　するの？」

「うん。レは？」

「うん　ぜんぜん」

「じゃ　今　はじめて干した?」

「うん」

ミはちょっと　笑いました。

風がおさまって　せんたく物はしずかになりました。

二人は家の前のきりかぶに　腰《こし》をおろしました。

ふと　レは思い出して　言いました。

「これ　ねえさんに教えてもらったんだ。

いいかい　僕といっしょにミも歌《うた》うんだよ」

「うん　何を？」

「ミはきらきら星」

「うん　わかった」

「一　二　三」

そこで二人は　いっしょに歌いましたが　ミは『きらきら星』　レは『かすみか雲か』を同時に歌うので　なかなか相手にひっぱられて　うまく行きません。

「もう一回」

「うん　一　二　三」

二人はだんだんうまく　合うようになりました。

「ほら　少しうまく行ったわ」

「うん　もう一度やろう」

それから　ミとレは何度もそれを歌ってみました。

やがて　ふとミは　驚いたように歌い止《や》めて　指《ゆび》さしました。

すると　さっきのシーツに　キツネの影《かげ》がひとつ　うつっているのでした。

二人とも　歌をききに　山の奥から降《お》りて来たのかな　と思いました。

もう一回　ミとレは最初から歌いました。
すると　今度はキツネの影が　二匹になりました。
「あ　おかしいねえ　キツネ　こんなに
ここに来るの？」
「ううん　めったに来ないわ」
二人は　くりかえし　くりかえし　歌を
歌いました。
すると　キツネの影も　どんどん増えて
来ました。
「おかしいねえ　キツネ　こんなにいる
なんて……そっと　あそこに行ってみよう
よ」
「うん」
二人はそっと　立ち上がりました。
と　その時　風がさあっと吹いてせんたく物
をひるがえしました。

けれども　影の映ったシーツのうしろには　何もいません。

風が止《や》むと　影もなくなっていました。

*

日曜の朝　ファおじさんのところに小鳥のルが飛んで来ました。

「何か　あったかい?」

「うん　レがね……」

「うん」

「……今朝《けさ》　めずらしく自分で　おせんたくをしていたわ」

よぞらに ひかる ほしの めぐりは
かすみか くもか おかのうえに
はるから なつへ あきから ふゆへ
しずかに おりる はなをかくして
はてなく つづく ときのながれに
こえだけ してる おかのう ぐいる

道草（6月のスケッチ2）

おや……
レは立ち止《ど》まって
大きなガラス窓《まど》に顔を
くっつけました。
するとやっぱり　町なか
のその小さなパン屋さんに
いるのは　ミでした。
（ふうん　まだランドセルしょって　学校の帰りなんだ）
レもランドセルをしょって　学校の帰りです。
でも　ほんとうは　学校の帰りにお店に寄《よ》ってはいけないと　先生に言われていました。

レはパン屋さんの中に　入って行きました。

そして　パンの棚《たな》をのぞいているミのうしろに行きました。

「こら　寄り道してはいけないぞ　ミ」

レは先生の声を　まねました。

ミはびっくりして　うしろをふりむきました。

「あ　レも買いに来たの?」

「ううん　ぼく見てるだけだよ」

「あ　ふうん」

ミはにっこり笑って　言いました。

「でも　レもお昼　まだでしょう?」

「うん　そうだよ。家に帰って食べるよ。ミも家の人に買ってくの?」

「ううん　今日は土曜日だけど　父さん仕事で私ひとりだもの」

ミの家は　お父さんと二人暮《ふたりぐ》らしでした。

「あ　ふうん……」

レはちょっと口ごもって　ふとポケットに手を入れました。

「どうしたの？　レ　何かなくした？」

「ううん　あった」

レはポケットから　百円玉をひとつ　とり出しました。

「あ　たくさんもってるのね」

ミが笑って　言いました。

「うん　これ　とくべつなんだ。とくべつのときしかつかわないんだよ」

「ふうん　どうするの？」

「うん　あのね　僕もお昼《ひる》　ここでパン　買おうと思うんだ」

「ふうん　でも　それ……」

「……でも百円玉じゃ　やっとひとつかなあ」
レはパンの棚を　いろいろのぞきました。
そして　ミの方を見て　言いました。
「ね　ミ　これから海へ行って　いっしょにお昼食べよう」
ミはちょっと驚《おどろ》いて　やがて黙《だま》ってうなづいてにっこりしました。

＊

「レが土曜のお昼に家に帰らなかったのは　今日がはじめてよ」

ルが言いました。

「おや　そうかい？」

ファおじさんは机《つくえ》の上をかたずけながら　言いました。

ルはかたずいた机の上を　歩きながら言いまし

た。
「でも　レはきっとこれから
ちょくちょく土曜のお昼は　家に
帰らないと思うわ」
「ふうん」
ファおじさんは　夕日の当たっ
た窓わくにひじをついて　町を見
下ろしました。
するとと　町のざわめきの中に
かすかに海の音がきこえました。

水の音（7月のスケッチ）

「ほら　何の音だろう……」

「え？……」

レとミは立ち止まって　耳をすませました。

「……水の音だわ。この辺りに小川《おがわ》が流れているのかしら」

「うん　きっと　そうだよ」

「でも　この辺りに　小川なんてなかったはずなのに……」

ミは山の中の　この谷の辺りは

よく知っているのです。
二人は耳をすませながら　音のする方へゆっくり歩いて行きました。
「きっと　新しくできた小川だよ」
「うん」
くりの木のトンネルが　まるでそこいらを　うす緑《みどり》色の空気でおおってしまったようでした。
それを抜けると　ぽっかり日の光に照らされた空地《あきち》があり　少し行くとまたがけになっている手前のしげみの間を　その小川は流れていました。
二人はそっと　手を入れてみました。
「ふうん　とっても冷たいね」

二人は少し水を顔につけて　汗《あせ》を落としました。
「こんなに冷たいのは　わき水だからだわ。きっとすぐ近くに　水のわいて来るところがあるわ」
「ふうん　行ってみよう」
ミとレはその水の流れに沿《そ》って　小さな木のしげみの中を　背《せ》をかがめて枝《えだ》にひっかからないよう　のぼって行きました。
やがて行くうちに　流れは　だんだんと細くなって　手のひらでせきとめられそうです。
いつの間にか高い木にさえぎられ　辺りにずい分　日が差し込まなくなった頃《ころ》
「あ……」
ふと　ミが足をとめました。
「え　どうしたの？」
レもつられて足をとめて　ミといっしょに流れの源《みなもと》の方を見つめました。
ミもレも驚いて　じっと　息をひそめました。
それは上流《じょうりゅう》の流れのそばに　ほんとうにたくさんの蝶《ちょう》が並《なら》んで　紫《むらさき》色の光を反射《はんしゃ》しながら　水を吸《す》っていたからです。
手をのばせば　いくらでもつかまえられそうに　じっとしています。

でも二人とも黙《だま》って　息をこらして　それを見つめていました。
ふと気づくと　辺りには鳥の声もしていません。
ただ水の音だけが　かすかにしていました。
そして　どこいらからか　とても涼《すず》しい風が流れて来ます。
ミはレの腕《うで》をとって　そっとあとじさりました。
レもそれにしたがって　静かに一歩一歩　あとじさりました。
蝶が見えなくなるまで　二人はそっと　うしろむきに歩いて行きました。
やがて何も見えなくなると　二人はまたせせらぎをたどって　元来《もと》た道を戻《もど》りました。
二人は小さな木のしげみを　背をかがめて降りて行きました。
もう　さっきの涼しい風は　ありません。
かん木《ぼく》のしげみを抜けると　前より少し　明るくなりました。
でも　高い木が光を半分おおっています。
その下を　どこまでも　どこまでも　二人は降りて行きました。
二人とも　また汗をかきました。
そして二人とも　黙《だま》っていました。
ときどき　顔を見合わせながら……　やがて　とうとうレが立ち止まりました。

ミも立ち止まりました。

「ね　ミ　僕さっきから……」

「うん　私も……」

二人とも　同じことを　考えていました。

「ふうん　やっぱり……僕　こんなに歩いて来なかった気がしたよ」

「うん……どうして　さっきの空地に出ないのかしら」

せせらぎは　やはり　ゆったりと流れています。

「でも　ミなら　この辺り　よく知っているよね」

「ええ　それなのに　私　さっきから自分がどこ歩いてるのか　わからないの……」

「ふうん……」

二人は　せせらぎの流れて行く先をみたり　今　歩いてきた道をふり返ってみたりしました。

日の光は　小川の水の上で　こまかく散らばって動きました。

それが　二人の足に反射していました。

レとミはしかたなく　また歩きはじめました。

下流《かりゅう》へ　下流へ……

他に　どこへ行けばいいのでしょう。

けれども　せせらぎは　さっきの空地にも　見はらしのよい谷間へも　出ないのでした。

いつまでも　同じところを　ぐるぐる　まわっているみたいです。

「ね……ミ　ここさっき　来なかった？」

「うん　そんな気もする……」

「この川　同じところ　ぐるぐる流れているのかなあ」

「さあ　そんな川なんて　あるかしら……」

「じゃ　僕たち　どうして　初めのところに出ないんだろ」

「うん　どうしてかしら……」

二人はなんだか　歩きくたびれて　せせらぎのそばに　腰《こし》をおろしました。

でも水に手をひたし　顔の汗を洗《あら》うと　また少し　元気になりました。

「僕　すっかり　のど　かわいちゃった」

レは水を両手《りょうて》で　すくいました。

「あ　この水……」

ミはレの手をとめました。

「飲《の》めないかも　知れないわ。山の水は　むやみに飲んじゃだめだって　父さん言ってたもの」

「ふうん……でも　ほら　さっき　あの蝶が飲んでいたよ。きっと　大丈夫《だいじょうぶ》だよ」

「うん……」

ミがそうかなあ　と思っているうちに　レはもうその水を　飲んでしまいました。

「ほら　何ともないよ。わき水だから大丈夫さ」

「うん……」

ミものどがかわいていたので　ちょっと飲んでみました。

でも　なんでもなさそうなので　二人とも何度も何度も　両手にすくって飲みました。

「……僕　こんなにおいしい水　飲んだのはじめてだ」

「……うん　私も」

二人は笑いました。

なんだか　ほんとうに　気持よくなって　レもミも草の上にねころびました。

顔の上で　ヒメジョオンの白い花が　ゆれました。

木の間《あいだ》から見える空には　小さな雲が　ぼんやり流れていました。

辺りには　せせらぎの音しかしませんでした。

せせらぎの音しか……？

レは草の上に寝《ね》ころんだまま　耳をすませました。

おや……

どこか遠くで　小さく笑っている声がします。

いえ　それは　せせらぎの音がそう聞こえるだけなのでしょうか。

レは顔を上げて　声のする方を見ようとしました。

ところがレは　ただもう気持よく　草の上に寝ころんでいて　体のどこにも　よいしょ

と力を入れることができないのでした。

おやあ……僕　眠《ねむ》っちゃったのかなあ……いつの間に眠ったんだろ……僕　今　夢見てるんだろうか……

レはミを呼ぼうとしました。でも　声も出すことができませんでした。

……おっかしいなあ……だって僕　今　目を開けているのに　眠っているのかなあ……

と　そのとき　もう笑い声は　はっきりとレのそばに来ているのでした。

……クックックッ……クックックッ……

……誰《だれ》だろう

レはできるだけ大きく目を開けました（そのつもりでした）。

すると　ヒメジョオンの向こうに　ミの顔が見えました。

ミはレの顔を見て　クックックッ　とおかしさをやっとこらえるように　笑っていました。

「……なあんだ　ミ　早く　僕を起《お》こしてよ」

レはそう言ったつもりでしたが　声にはなりませんでした。

すると　また　別の笑い声がしました。

おや……まだ　誰かいる……

その時　別の顔が　ヒメジョオンの向こうに　見えました。
それを見て　レははっとしました。
それは　もうひとりの別のレだったからです。
別のレも　ミも　黙ってレの顔をのぞき込んでいます。
何だかめずらしい花でも　のぞき込んでいるみたいに　まじめなような　不思議なような顔で見ています。
その時　ミが手にもっていた　クローバーの葉をレの鼻先《はなさき》に持って来ました。
そうして二人は　また　クックックッと　おかしそうに笑いました。
ふっと　ヒメジョオンが風にゆら

れたかと思うと　二人の姿はみえなくなりました。
二人の笑い声は　まだきこえていました。
けれども　それは遠《とお》ざかり　しだいに　せせらぎの音とまじり合って　しまいには　せせらぎの音だけになりました。
レはさっきくすぐられた鼻がむずむずして　くしゃん　とくしゃみをしました。
そして　レはやっと起き上がりました。
あわててとなりを見やると　ミはくうくう寝息《ねいき》をたてて　眠っているのでした。
（おや　どうしたのかな　やっぱり僕　眠っていたのかなあ……それとも……）
レは　なんだか　あの遠くの山の桜の木の下にいる　別のミやレが　このせせらぎを今　歩いて行ったような気がしました。
（それとも……ただ……）
レは空を見上げました。
さっきあった小さな雲は　もうどこかに　消えていました。
「ミ……起きなよ」
レはミをゆり起こしました。
ミはすぐに目を覚ましました。

「あ……レの方が先に起きたの」

「え？ 僕 さっき 眠ってたの？」

「うん だから私も つい眠っちゃった」

「ふうん……」

二人は立ち上がって 服《ふく》をぱたぱたとはらいました。

と その時レは 何かが自分の服の上から落ちたのに気付きました。

何だろ……

レがしゃがんでみると それは この辺りには生えていない クローバーの葉でした。

（これ さっき ミが……）

「なあに?」

「うん……」

レはそれをひろって　ミに差し出しました。

「ふうん」

ミはそれを手にとりました。

「あ　ほら　見て」

ミは　またそれをレに差し出しました。

すると　その葉は四枚あるのでした。

二人は黙って　にっこり笑いました。

＊

二人がふたたびせせらぎに沿って歩き出す

と　どうしたのでしょう。
見なれた木々が次々に現われ　それから　二十歩も歩かないうちに　もう最初のあの空地に出てしまったのでした。
レもミもなんだか驚いて　顔を見合わせ　辺《あた》りを眺《なが》めました。
小川はあいかわらず　明るく光を散らせて　ゆっくり流れています。

＊

その後　二人は何度も　その谷間へ行きましたが　せせらぎの音がきこえてくることはもう二度とありませんでした。

遠雷（7月のスケッチ2）

目の前を　さっと風を切って　鳥が一羽《いちわ》飛《と》んで行きました。

レは驚《おどろ》いて　顔を上げました。

けれどもその時　もう鳥の姿はありません。

レは立ち止まって　あたりを見まわしました。

どこかでしきりに　糸をこするような鳥の声がしていました。

それは高い松林の向こうの方らしいのでした。

＊

「あのね　今朝《けさ》　学校へ行くとき　僕の目の前をさあっと鳥が飛んだんだよ」

「ふうん　なんの鳥？」

ミがききました。

「さっと行って　すぐに見えなくなったんだ」

「ふうん　流れ星みたいね」

「うん　そう」

レは立ち止《ど》まって　きのう降《ふ》った雨の水たまりをのぞき込みました。

「きのうの夜　雨　たくさん降ったね」

「うん　寝ていたら屋根にたくさん雨の音がしたわ。ほら　雷《かみなり》も鳴ったでしょう」

「ふうん　僕ねむってて　ちっとも知らなかった」

ミはにっこり笑いました。

「山の中　雷　とっても大きな音がした」

「こわかった？」

「うん　でも　雷見てたら　花火みたいだった」

「ふうん　起きて見てたの？」

「うん　そうしたら　いなずまなが横に走ったりして　とてもおもしろかった」

「ふうん　僕も見てたらよかった」

「ええ　レも見てたらよかった」

「今日も　雷　鳴らないかな」

レとミは水たまりの中の空をのぞきました。

「水たまりの中　昼なのに夜みたいな空ね」

「うん　ほんとだ」

水面《すいめん》は　二人のかげをうつしたまま　かすかにゆれていました。

＊

レの顔の中を　鳥が飛んで行きました。
それから鳥は　ミの顔の中を飛んで行きました。
雨あがりの水たまりには　雲も映《うつ》っていました。
その雲の上を　アメンボが　ついっと走りました。
「ほら　なんだか……」
ミが水面をみつめて言いました。
「……別の私たちが　やっぱりむこうからこっちを見ているみたい」
「うん　ほんとだ」
レもじっと水面を見つめました。
レは手をのばして　アメンボをつかまえようと

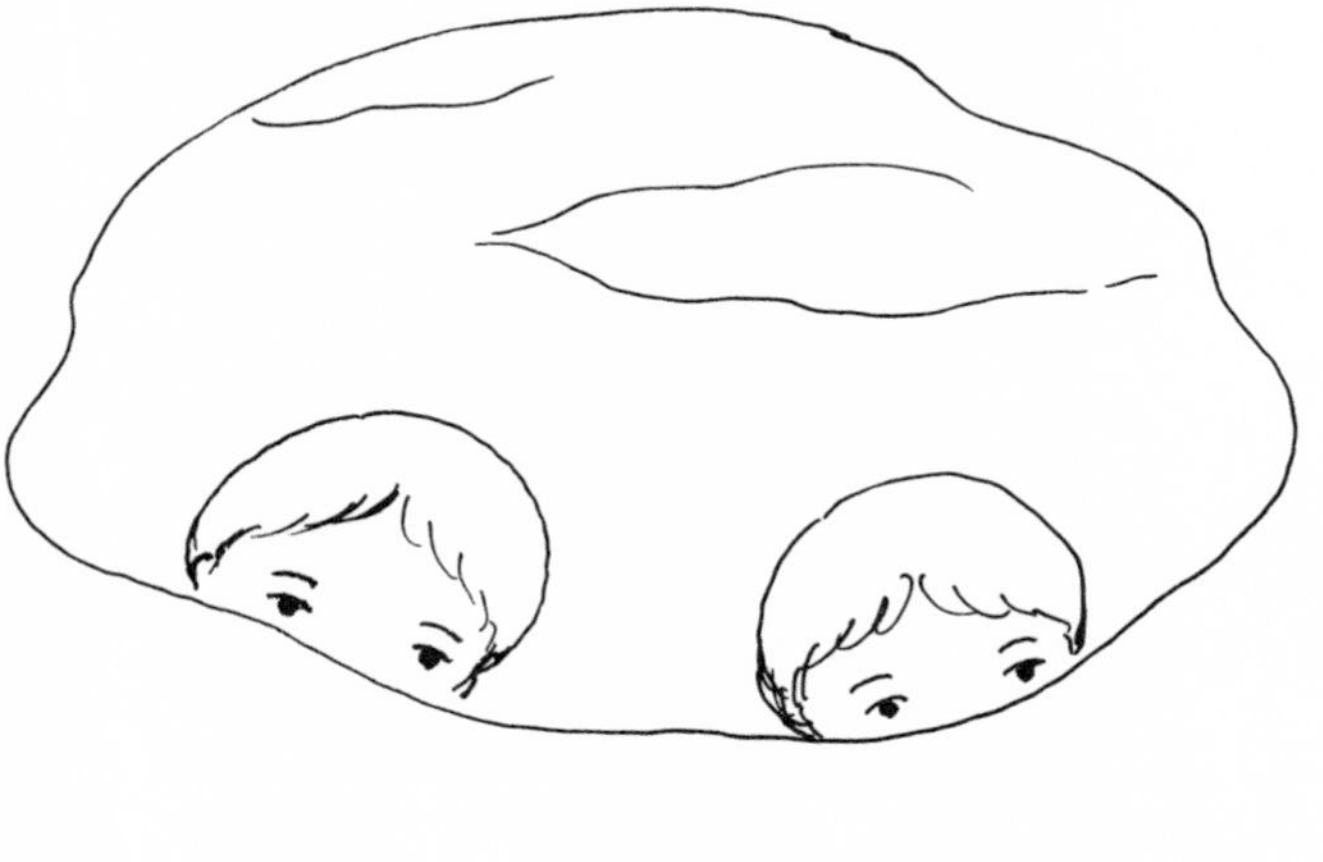

しましたが　アメンボはとてもすばやく逃げまし
た。
レの手が　水たまりの中に入って　水に映《うつ》
った影《かげ》を散らせました。
レはぬれた手を　ズボンでごしごしふ
きました。
「ね　ミ　今　僕　思ったんだ」
「ふうん　何?」
「……この水たまりの中に映っている
の　ほんとうはもうひとつの別の世界な
んだ。でもそれは　僕たちの今いるとこ
ろと　そっくり同じなの」
「ふうん」
「そしてね　今　僕たち　いつの間にか水
たまりの向こうに　来たところなの。でもそっ
くり同じ世界だから　別の世界に来たことに気づ

かないのさ」

「ふうん　私たちいつ　水たまりのむこうに　落ちたの？」

「気がつかないときになんだよ。たとえば僕が今　水の中に手をついた時とか」

「ふうん　じゃ　今　私たちのいるここは　水に映った別の世界？」

「うん　そうだよ。でも元の世界とそっくりだから　ほんとうにそうなのか　わからないんだ」

水面が静かになって　水の上にまた　ミとレの顔が映りました。

「ほら　僕たち入れかわっちゃったんだよ。別の僕たちと」

「うん」

ミは笑いました。

水たまりの中のミも　笑いました。

「ほんとうにそうなっても　誰《だれ》も気がつかないわね」

「うん　先生も友達も家の人も　気づかないね」

「でも……」

ミはちょっと考えて　言いました。

「……私　こうも思うの」

「どんな?」

「入れかわるのはね　私たちだけじゃないの。先生も　友達も　家の人もときどき入れかわったりしてるの。でも　みんな　別の世界の別の先生や　別の友達とそっくりだから入れかわっても誰も気がつかないの。もちろん　その人も　自分が入れかわったなんてちっとも知らないの」

「ふうん」
なんだかレも　そんな気がしました。
その時　二人のうしろで声がしました。
「ほら　二人とも　道草《みちくさ》しないで　早く帰りなさい」
ふり返ると　担任《たんにん》の先生でした。
二人は　はあい　と言って　ぱたぱた駆《か》けて行きました。

＊

レとミが行ってしまった後で　先生はふと（あの子たち　何を見てたんだろう）と　その水たまりにかがんでみました。
ふうん　アメンボか……
そうつぶやいて　先生は　ひょいと手をのばしました。
するとアメンボは　またすばやく逃げました。
いきおいあまって　先生は　水たまりの中にぱしゃんと手をついてしまいました。
そして　やれやれとため息をつくと　ハンカチで手をふきながら　行ってしまいました。

やがて　だれもいなくなった水たまりは　波紋《はもん》がおさまると　また元のように　静かに雲と空を映していました。

＊

家に帰ると　レは　今日の新聞を広げてみました。

そうして　天気を調《しら》べてみました。

（ふうん　今夜《こんや》も　明日《あす》も　晴れなんだ……）

「え？　晴れてがっかりしたの？」

いつのまにか　ラがそばに立っていました。

そしてレが　ひとり言《ごと》を言《い》ったのを聞いたのです。

「うん　僕　今日《きょう》　雷鳴らないかと思ったの」

「ふうん　雷鳴った方がいい？」

「うん　雷は　花火のようだもの」

「ふうん」

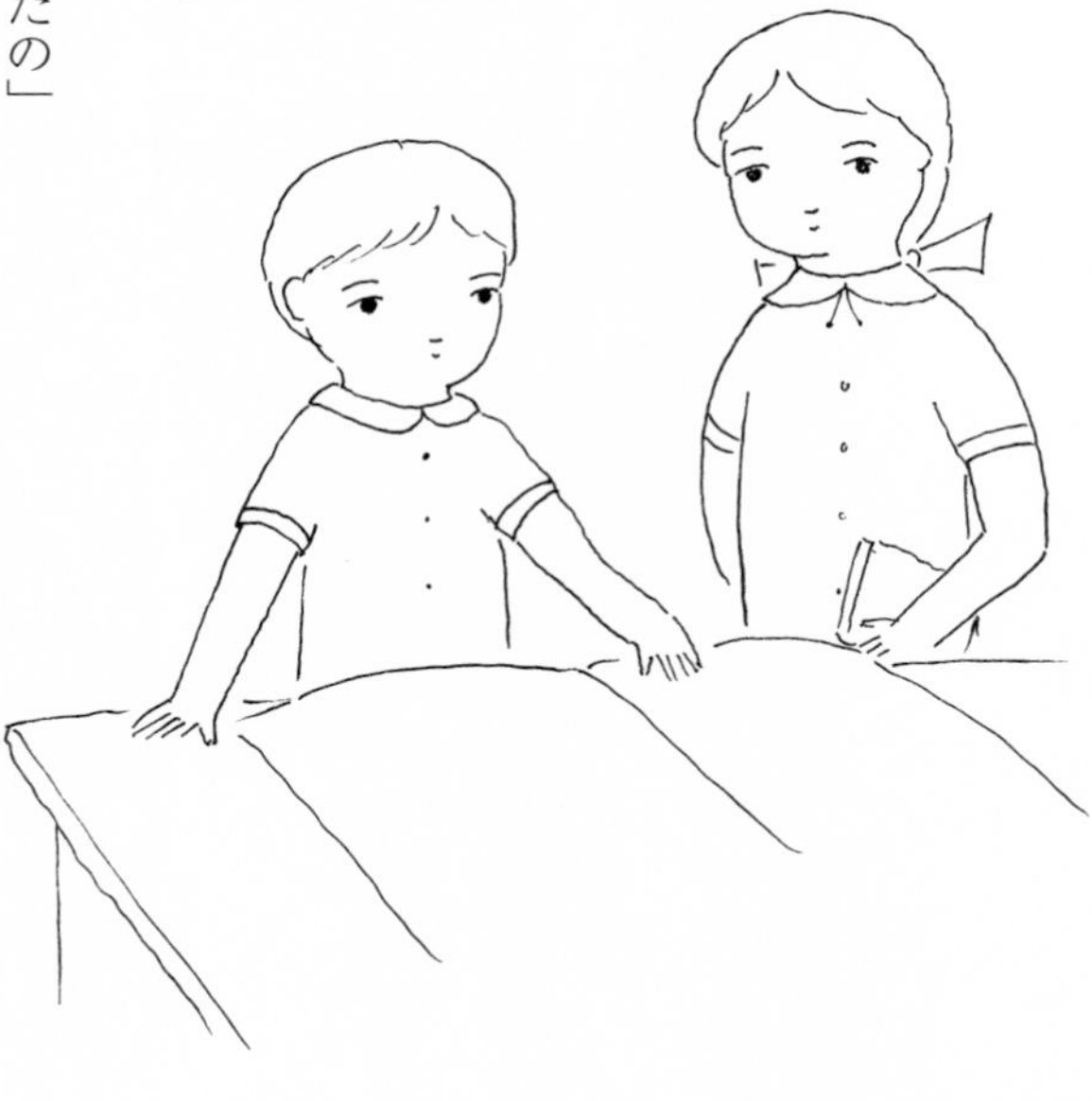

ラはちょっと驚いたように　レをみつめました。

「私も前から　雷　花火みたいと思ってた」

「ふうん」

ミと同じこと言う　とレは思いました。

「ねえさん　雷こわくなかったの?」

「うん　でも　見てるとおもしろくて　こわくなくなるの」

「ふうん　ねえさん　きのうの夜　雷　見た?」

「ふうん　きのうの夜　雷鳴ったの?　私ぐっすり眠ってて　気づかなかった」

レはにっこり笑いました。

「きのうの夜　とってもきれいだったんだよ　雷」

「ふうん　レ　起きて見てたの」

「ううん　僕もぐっすり眠ってたんだよ」

「ふうん　おかしいの　レ」

ラは笑って　二階へのぼって行きました。

*

その夜ラは　ひとねむりしてから　ふと目を覚ましました。

そうして耳をすませました。

（遠くで……雷が鳴ってる……）

ラは頭の上のカーテンを半分開けてみました。

すると　いびつな月の光が松の木の向こうから　まぶしいほどに差し込みました。

（あ……晴れている……じゃ　さっきのは雷の音じゃなかったのかしら……）

ラはもう一度　耳をすませました。けれども窓からは町の音がかすかに聞こえるばかりでした。

はくちょう座（7月のスケッチ3）

「ファおじさん」

「……やあレかい」

ファおじさんは　ベッドの中から顔も上げずに言いました。

「ちょっと窓《まど》　開《あ》けておくれ。閉《し》め切ったら暑《あつ》くてね」

「うん」

レは窓を開けました。

でも外もやはりむし暑くなり始めています。

「ファおじさん　どうして夏なのに風邪《かぜ》なんか引いたの?」

「さあ　私も知りたいね。でもうつすといけないから早くお帰り」

「うん。あとでね　ねえさんが来るよ」

「ふうん　そんなに来て　うつしちゃ悪いな」

「大丈夫《だいじょうぶ》だよ　僕たち　夏は風邪　ひかないことにしてるから」

レは笑って言いました。

しばらくうとうとして　ファおじさんが目を開けると、もうレは帰っていました。ファおじさんは思いました。

（そうだ　うとうとしてて　レの顔をちゃんと見るの忘れてしまった……）

＊

レが帰ってしばらくすると　ラがやって来ました。

「ファおじさん　大丈夫？」

「やあ　大丈夫じゃないよ」

「ふうん　じゃ　大丈夫ね」

ラは笑いながら　ファおじさんの水まくらとタオルをとりかえました。

「あのね　お母さんにたのまれて　くだものとかいろいろ持って来たから　机《つくえ》の上に置いとくね」

「ああ　ありがとう。さっきレも来てったよ」

「えっ　レが？　おかしいわ」

ファおじさんは　眼を開けて　ラを見ました。

「何故《なぜ》だい？」

「レも今朝《けさ》から風邪気味《ぎみ》でね　部屋で休んでるの」

「……ふうん　しかし……」

ファおじさんはちょっと目を　ぱしぱしさせました。

「それじゃ……きっと　私は夢を見てたのか。よくレのことを考えるから……」

「ふうん」

ラはまた笑いました。

ラは窓のところに寄《よ》って　遠くの山や海が光っているのを眺《なが》めました。

「……この丘　見はらしがよくていいのね」

「ああ　夜になると　町の光が小川のようだよ」

「ふうん　ファおじさん　夜もこの窓　開けっぱなし？」

「うん　そうさ」

「ふうん　だから　風邪が風に乗って　ファおじさんのところまでやって来たんだわ」

「うん　そうか……」

ファおじさんは眼を開けて窓の方を見やりました。

「……おや？　窓　開いていたのか……ラが開けたの？」

「いいえ　来た時から開いていたわ」

「ふうん……だが……レがさっき開けてくれたような気がしたが……」

ファおじさんは目をとじました。

しばらくラは町の景色《けしき》を眺めていました。

そしてファおじさんが黙《だま》っているので　おや　とうしろをふり返りました。

するとファおじさんは　かすかに口を開けて　いつの間にか　くうくう眠っていました。

ラはそっとひたいのタオルをうらがえして　部屋を出て行きました。

＊

ファおじさんが目を覚ますともう日が暮《く》れて　外はすっかり暗くなっていました。
開いた窓の外に　星が　昇《のぼ》っているのが見えました。
ファおじさんは　もっとよく見ようと　顔を上げました。
すると　空高く　はくちょう座が　まるではじめて見るように　くっきりと大きく昇って来るところでした。
思わず大きく息を吸うと　さっきラが机の上に置いたオレンジの香《かおり》が　ふっとしました。

風に飛ぶ種（8月のスケッチ）

山の奥《おく》から　セミの声がしていました。

「風　来ないね」

「うん　でも走ったら風　来るわ」

ミが笑って言いました。

レは手の甲《こう》でひたいをふきました。

「さっき僕　走って上って来たんだ。ほら　こんなに汗《あせ》」

二人は　くるみの木の木陰《こかげ》に行って休みました。

「どうして　木の下って　涼《すず》しいのかな？」ミが言いました。

「うん　きっと　涼しい風もここで休んでるんだ」

二人は　青空の中に　黒々と見える　くるみの木を見上げました。

「風って　どうして吹《ふ》くんだろう」

「うん　どうしてかしら」

二人はしばらく黙《だま》って雲のない空を眺《なが》めました。

日陰《ひかげ》から見る空は　どこか遠《とお》い別の世界のように見えました。

「あ　雪……」

ミが指さしました。

「え？」

レも驚《おどろ》いて　そちらの方を見やりました。

そして笑って言いました。

「ほら　あれは種《たね》が空を飛んでいるんだ。綿《わた》みたいな種」

「うん　私もすぐわかった」

ミも笑って言いました。

「でも最初　ほんとうに　雪みたいに　見えたの」

「うん」

白い種は　山の上から次々と降《お》りて来ます。

「……ふうん　山の上の方　風　吹いてるんだね」

「うん　そうね。風　吹いてるんだわ」

「そうだ僕　風　どうして吹くのか　わかった」

「うん　私も。きっと　種　はこぶためね」

「うん」

「種は　運ばれて　春が来るまで　どこか遠いところで眠《ねむ》ってる……」

「うん　眠ってるね……」

そう思うと　レもなんだか眠くなって　あくびしました。

ミは笑いました。

「春ってどうしてあるのかな……」

ミは空を見つめながら　言いました。

「だって　冬が　終わるからだよ」

「うん　そうしたら　冬は　どうしてあるの?」

「秋が終わるからだよ」

「秋は　どうして？」

「夏が……終わるからさ……」

けれど　だんだんレも　どうしてそうなのか　わからなくなりました。

「夏って　どうして　終わるのかしら」

「うん……きっとね　僕　こう思うんだ。夏の中には　秋や冬が　かくれているんだよ。

そして　どこかで眠っているのさ。秋が　目を覚《さ》ますと　今度は　夏が眠くなってしまうんだよ」

「ふうん　じゃ　今どこかで冬も眠っている？」

「うん　どこかで。まるでさ　ほら　種が眠ってるみたいに」

「ふうん……そうね　でもそういうの　いつから　始まったのかな……木や花は　いつ生まれたの？」

「うん……きっと……」

すると　木陰に　ふっと　涼しい風が　やって来ました。

二人とも　黙《だま》って　風に　当たりました。

上の方で　くるみの木の葉
が　かすかに鳴っています。
「ほら　レ　こっちの方も
たくさん種が飛んでる」
ミは指さしました。
すると　谷の方に　綿のような種
が　いくつも降《お》りて行くところでした。
「ほんとだ」
レは立ち上がりました。
「僕　ひとつ　とってくるね」
そう言ってレは　日あたりの中へ駆《か》けて行
きました。
谷を少し降り　やぶをかきわけて　レは　空を見上げました。
やっぱりまだとどかないかな……
レはもう少し谷を降り　手をいっぱいに差し出しました。
するとやがて　種がひとつだけ　レの手のひらの上に　舞《ま》い降りました。

とその時　レは　思わず手をひっこめました。
何だか　手のひらに　不思議《ふしぎ》なつめたさを感じたのです。
何だろ……レは手のひらを開《ひら》いてみましたが　そこには何もありませんでした。
あれ　種はどこだろう……
レは　もう一度　空を行く白い種を見上げました。
でも　種はみんな　風に吹《ふ》かれて　さっきよりも　高く高く　飛んで行きます。
レは　谷をのぼって　ミのいるくるみの木のところへ戻《もど》りました。
「もう……ほら　あんなに遠いわ……」
ミは空を見上げて言いました。
「うん……」
レも見上げました。
それからミは　ひとり言《ごと》のように　言《い》いました。
「……何だか　やっぱり　雪のよう」
下では　いつの間にか　風は止《や》み　空の高いところでは　あいかわらず　大きな風が吹いています。
もうあと一週間で夏休みは終わりです。

波（8月のスケッチ2）

「波って　なんだか　海が息《いき》し
てるみたいだね」

「うん　ほんとう」

レとミの足もとに　波が寄って来ました。

そして波の形をした一列の小さな泡《あわ》を　砂の上にかすかに残して海へ帰りました。

波の中に素足《すあし》を入れて　レは目をつぶりました。

やがて波は足もとの　砂といっしょに海へ戻ります。

「ほら　こうしてると　海へ連《つ》れて行かれそうだよ」

ミもそうしてみました。

でもなんだか　ほんとうに　海の中へ連れて行かれそうで　すぐに目を開《あ》けてしまいま

した。
レは笑いました。
ミも笑って言いました。
「手つないだら　できるわ」
そこで　二人は手をつないで　目を閉《と》じました。
「ほらね　海の中へずうっと
行く　みたいだね」
「うん　ほんとう」
今度は　ミも　じっと目を閉じ
たままでいられました。
また波がやって来て　二人を
海の方へさそいました。
と　その時　レが「あ」と言っ
て　手をはなしました。
ミは驚《おどろ》いて目を開けました。
「どうしたの?」

見ると　レのかぶっていたむぎわら帽子《ぼうし》がありません。

「今　風で僕の帽子　飛ばされちゃった」

「ふうん」

ミもレも急いで辺《あた》りを見まわしました。

波に持って行かれたら大変です。

けれどもレの帽子は　どこへ行ったのか　その辺りには見あたりませんでした。

風なんて　そんなに強くはないのです。それに海風ですから　砂浜の方に落ちているはずなのに　どこにもないのです。

「……おかしいなあ」

「へんねえ……」

二人は　やはり　砂の上をあちこち行ったり来たりさがしました。

やがて　ふと　ミが指さして言いました。

「むぎわら帽子　ほら　あれじゃないかしら……」

レもそちらの方を見やりました。

それは海の沖《おき》の方に　まるで小舟《こぶね》のように浮かんでいました。

「あ　ほんとだ……どうしてあんな遠くまで行ったんだろ……」

「風の向きは反対だし……波が持って行ったのかしら……」

「うん……」

二人はしばらく　波といっしょにゆられているむぎわら帽子を見ていました。

でもレの帽子は　どんどん小さくなって行きます。

「僕　なんだか　今　思ったんだ……」

「うん　私も……」

二人は顔を見合わせました。

二人ともさっき波の中で目をとじていたとき　なんだかほんとうに沖《おき》の方まですうっとすべって行ったような気がしたのです。

レのむぎわら帽子は　も

う波の向こうに見えなくなっていました。

「ね　あの帽子　小舟みたいにどんどん流されて　外国まで行くと思う？」

「うん　外国の子供が浜辺《はまべ》でひろうかも知れないね」

「ふうん　帽子の手紙だね」

レとミは　水平線《すいへいせん》をみつめて　にっこり笑いました。

＊

「今日　レは　帽子をなくしてね……」

小鳥のルが空から入って来て　ファおじさんの机の上につまれた本の上に止まって言いました。

「お母さんにしかられたの」

「ほう　しかし　わざとなくしたんじゃないんだろう？」

ファおじさんは言いました。
「ええ　でもレは　帽子をなくしたのにうれしそうにしてたから　おこられたの」
「ふうん」
ファおじさんは　かすかににっこり笑って　窓から見えている　遠くの水平線を眺めました。
暮《く》れはじめた海から　かすかに　波の音が聞こえました。
小鳥のルは　また空へ飛んで行きました。

虹（8月のスケッチ3）

今日は朝から雨が降《ふ》りそう
です。
　でもレは〝いらないよ〟と言っ
て　長ぐつも傘《かさ》も持たずに学校へ出かけました。
お母さんが〝ちゃんと持っていきなさい〟と傘と長ぐつを持って
門に出た時には　もうレの姿《すがた》はどこにもありませんでした。

レが学校につくまで　雨は　ひとつぶも降りませんでした。
（ほら　やっぱり降らなかった）
とレは思いました。

でも一時間目が始まると　厚《あつ》い雲から　ぽつぽつと雨が降り出し
二時間目には　さあさあ　と
三時間目には　ざあざあ　と
給食の時間には　もう　どしゃぶり　でした。
それでも　レは窓の外を見ながら
（きっと帰るころには晴れるよ）
と思っていました。
（だってこんなに降ったら　雲の中にはもう　雨なんかなくなってしまうもの）
ところが　授業がすっかり終わってしまっても　雨はやはりざあざあ降り続いていました。
レは傘をもった友達といっしょに帰りました。
そして　その子の家の方が近かっ

たので　町の中で　わかれました。
レは大きな店のショウウィンドウの前で　雨やどりしました。
そこにはちょうど　アーケードがあるのでした。
レは空を見上げましたが　雨はちっとも止みそうにありません。
雨はまるで　天から下がる水のカーテンのように　町の上に広がっていました。
レはあきらめて　ショウウィンドウを眺《なが》めました。
すると　その中に小さな汽車《きしゃ》が走っていました。
汽車はときどき　蒸気《じょうき》を出したり　煙《けむり》を出したりします。
（ふうん……）
レは同じところをぐるぐるまわっている　その汽車を一心《いっしん》にみつめました。
それから　どのくらい　時間がたったのでしょう。
レは　ふっと我《われ》に帰りました。

そしていつの間にか　となりに　ミが立っているので　とても驚《おどろ》きました。

レが汽車を一心に見つめていたのを　見ていたのかもしれません。

ミはにっこり笑いました。

「……ミ　どうしてここにいるの？　家に帰らないの？」

「うん」

「ミも　傘ないの？」

「ううん　ほらある」

「ふうん　ミ　どうしてここにいるのさ」

レは同じことを　またききました。

「うん　さっき学校から帰る途中《とちゅう》でね……」

「うん」

「海の方がとても明るくなっていたの」

「ふうん」

レは海の方を見やりました。

するとそちらの空だけが　不思議と明るくなっていました。

「ふうん　ほんとだ」

「あそこだけ晴れているのかしら」

「ね　ミ　これから海へ見に行こうよ」

「うん」

レとミはいっしょに傘《かさ》をさして　海岸《かいがん》の方へ行きました。

雨は　なんだか　ほんの少し　小降《こぶ》りになったようでした。

＊

雨の日に　海辺《うみべ》にいる人は誰《だれ》もいません。

二人はそう思ったのですが　砂浜《すなはま》にやって来ると　男の人がひとり傘をさして　立っているのでした。

おや……

と　レは思いました。

あの人は……

「ファおじさん」

レは呼びました。

その男の人は　ふり返りました。

レは言いました。

「こんにちは　ファおじさん」

「こんにちは　レ　こんにちは　ミ」

「こ　こんにちは」

ミは驚《おどろ》いて　ファおじさんにおじぎしました。

（どうして私の名前　知っているのかしら）

そう思ってレをみやると　レも驚いた顔をしていました。

「なんだか　二人が来るような気がしたよ」

ファおじさんは言いました。

「え？　どうしてわかったの？」

レが驚いて　尋《き》きました。

「ほら　見てごらん」

ファおじさんは　水平線《すいへいせん》の上を指さしました。

すると　雨雲《あまぐも》のすき間から　雲を支《ささ》えるように光の柱《はしら》がいくつも　海の上に降《お》りていました。

ヤコブの梯子《はしご》です。

「二人《ふたり》は　あの光を見に来たんだろう？」

ファおじさんは言いました。

「うん……」

二人はその光に見とれてかすかにうなづきました。

「私も　あれを見に来たんだよ」

「ふうん　ファおじさんも〝どうして　海の方　明るいのかな〟って思ったの？」

レが尋ねました。

「そうだよ」

「ふうん　ほんとはね　ミが　先にそう思ったの」

ファおじさんは　ミを見て　かすかににっこりしました。

ミも黙《だま》ってにっこり笑いました。

雲から降りる光の柱は　ゆっくりと　動いていました。

「ほら　光があんなに動いてく……消えたり　生まれたりしながら……」

レが言いました。

「うん　ほんとう」

ミもうなづきました。

「でもどうして……」

ミは言いました。

「……他《ほか》の人は　この光を見に来ないのかしら」

「うん　ほんとう」

レもうなづきました。

ファおじさんは黙っていました。

やがて　天から降《ふ》る光の柱は雨の中にすっかり消えて行きました。

それは　海の上の雨のカーテンを両側《りょうがわ》からさあっと閉《と》じたようでした。

水平線もぼんやり雨の中にかくれました。

ファおじさんは言いました。

「もうじき　雨が止《や》むよ」

でも雨はまだ　さあさあ降っています。

ファおじさんはふとかがんで　足もとにあった小指ほどの小石をひとつポケットにしまいました。

「それじゃね　ミとレ」

ファおじさんはそう言って　砂浜をむこうの方へ離《はな》れて行きました。

「さよなら　ファおじさん」

「さようなら」

二人はファおじさんのうしろ姿をしばらくみつめていました。

それから　ミは　ふとしゃがんで　そこにあった小石をひろいました。

「どうしたの？　ミ」

「……うん　どうして　小石なんかひろったのかしら　レのおじさん」

「さあ　僕も知らない……でもファおじさんはときどきよくわからないことをするんだ」

レもしゃがんで　小石をひろいました。

そして　二人はなんとなくファおじさんのように　それをポケットに入れました。

「……今　私　なんだか　思ったの」

「なんて？」

「さっきのね　光　……あれはレのおじさんが　何か　魔法《まほう》を使って見せてくれたような気がしたの」

「ふうん……」

なんだか　レもふっとそんな気がしました。

「ファおじさんはね　なんだか　何でもわかるんだよ。ほらさっき　はじめて会ったのに　ミのことちゃんと知ってたでしょう」

「うん　私　とってもびっくりした」

「僕も」

二人はもう一度ふり返って　ファおじさんの姿をさがしました。

でもいまさっき歩いていたのに　いつの間にか　砂浜にファおじさんはいませんでした。

そしてその時　二人は　あっ　と息をのんで　空を見上げました。

見たこともないほどくっきりと半円の虹《にじ》が海の上にかかっていたのです。

雨はいつの間にかすっかり止んでいました。

レのお母さんは　レが帰って来たら　きちんとしかっておきましょうと　思っていました。

*

ところが　レが帰って来ると　レの服は少しもぬれていないしくつも泥《どろ》だらけにはなっていません。

お母さんは　ちょっと不思議そうに　レを見ました。

レは　にっこり笑いました。

緑の石（8月のスケッチ4）

レの机《つくえ》の上に　雨の日海辺《うみべ》で拾《ひろ》った緑《みどり》の小石が　ひとつ　置いてありました。
緑の小石は　開《ひら》いた窓にさし込む夕日に当たって　石の底《そこ》にまで光を閉じ込めたように見えました。
すると　そのそばに　青い小鳥がやって来て止まりました。
けれども　それを見ている人は誰《だれ》もいません。
レはまだ外で遊んでいて　部屋には居《い》なかったからです。
青い小鳥は　しばらく小首《こくび》をかしげて　緑の小石を　見つめていましたが　やがてまた窓から　飛び去って行きました。

＊

あら……今　鳥が……

ラは　いけがきの外から　空を仰《あお》ぎました。

でも　もう鳥の姿《すがた》は見えません。

……今　たしかに　レの窓から飛んで行ったような気がする……

ラは　レの部屋の窓を見上げました。

開いた窓には　夕日が明るく照《て》っていました。

ラは　家に入り学校かばんを置くとレの部屋をのぞいてみました。

すると机の上に　日射《ひざ》しの中で光っている緑の小石を見つけました。

＊

「ただいま」

日が落ちて　空の青さが　すっ

かり深まった頃に　ようやくレは帰って来ました。

お母さんにちょっと小言《こごと》を言われた後で　レは二階に上がって来ました。

レが自分の部屋のドアを開《あ》けようとしたとき　ラの部屋のドアが開《ひら》きました。

「あのね……」

ラはさっきの鳥のことをレに話しました。

「……きっとあの緑の小石を見に来たんだわ」

「ふうん……」

レはかすかに　にっこり笑って　自分の部屋に入りました。

＊

食事のあと　二階の自分の部屋で　ラが本を読んでいるとノックの音がしました。ラはすぐにそれがレだとわかりました。（レのノックは♩♫♩と決まっているのです）

ラがドアを開けると　レは右手を差し出しました。

見ると　レのてのひらの上に　緑の小石がのっていました。

「ほら」

「うん？　どうしたの？」

「あげるよ」

「ふうん　ありがとう」

ラは　にっこりしました。

「でも　とくべつなのじゃなかった？」

「ううん　海辺でひろったただの石だよ」

「ふうん　でも今はもうただの石じゃないね」

「ふうん　どうして？」

「だって　あんなたくさんある中からレにひろわれて　私がもらうんだもの」
「うん……そうだね」

＊

その夜　ベッドの中で　ラは　ふと眼をさましました。
そして　おやっと　耳を澄《す》ませました。
虫の音《ね》に混じって　笛《ふえ》の音《ね》がします。
それはこのごろレが時々吹《ふ》くリコーダーの音《おと》のようでした。
(でも今……真夜中なのに……レが吹いているのかしら……)
ラは耳を澄《す》ませました。
どうもそれは　レの部屋からではなく　庭の方からして来ます。
ラは起き上がって　カーテンを開けて見ました。
すると　レが　庭の中を歩いているのが見えました。

＊

ラは庭に降《お》りてみました。

そして（レはどこだろう）と思いました。

庭の中には誰《だれ》もいないようです。

おかしいわ……

そう思った時　ラのうしろで　クックックッ　と笑う声がしました。

驚いて　ふり返るとレが立っていました。

「……ふうん　レ　どうして庭なんかにいるの？」

「うん　僕ね　明日《あした》　学校で笛のテストがあるの」

「ふうん　それなら　部屋でやればいいのに」

「うん　でも　今なら誰も聴《き》いていないでしょう？」

「なあんだ　まだ下手《へた》だから　こんな夜中に吹いてたの」

「……でも　ねえさん　聴いてるなんて思わなかった」

レはちょっと恥《は》ずかしそうに笑いました。

「ふうん　何の曲《きょく》　吹いてたの？」

「うん　これ　僕がつくったの」

「ふうん　吹いてみてよ」

「うん」

レは笛を吹き始めました。

ゆっくりとした　何の調《ちょう》かもわからないような曲でした。

でもラはそれを聞いていると　何か涼《すず》しくて　気持のよい風が　遠《とお》くから吹いて来るような気がしました。

ラは目を空に向けて　笛の音に耳を傾《かたむ》けました。
そして　ラは　はっとして空を見渡しました。
あ……虹《にじ》が……
真暗《まっくら》な夜空の星の間を　空の端《はし》から端まで　虹が輝《かがや》いているのでした。
驚いて　ラは　笛を吹いているレを見やりました。
レは目を閉《と》じて　一心《いっしん》に笛を吹いています。
ラは黙《だま》ってもう一度　夜空の虹を見上げました。
笛の音が消えると　虹もふっと消えました。

＊

しばらく二人とも黙っていたあとで　ラは言いました。

「ね　レ　今の曲もう一度吹いてくれない？」

「ううん　だめだよ。今　僕　初《はじ》めて　うまく吹けたんだ。でも　もう同じように　うまくは吹けないよ」

レは笑いました。

「ふうん……」

ラは黙って　もう一度夜空を見上げました。

＊

二人は家に入って灯《あか》りを消しました。
となりの部屋で　レはもう眠ったようです。
ラは　眠りにつこうとして　ふと机の上で緑の石が光っているのに気づきました。
あ……
ラは目を近づけてみました。
でもそれは　カーテンの端からもれる星のかすかな反射《はんしゃ》でした。

＊

翌朝《よくあさ》は　とてもよく晴れました。

「行ってきまあす」

「行ってきます」

レの後に　ラも門を出ました。

「レ　今日　笛のテストうまく行くといいね」

「うん　うまく吹けるといいなあ」

「大丈夫《だいじょうぶ》よ　きのうみたいに吹けば」

「きのうみたいに?」

レは何だろうというふうに　首をかしげて　ラをみました。

「……?　レ　覚えてないの?」

ラもふしぎそうにレを見ました。

レは笑って　友達のいる方へぱたぱたと駆《か》けて行きました。

後には　朝の明るい光だけがコスモスのゆれる小道いっぱいに広がっていました。

留守番（8月下旬のスケッチ）

青い小鳥が　ファおじさんの窓辺《まどべ》に
とまりました。

「こんにちは　ファ」

ファおじさんは　読みさしの本から
目を離《はな》しました。

「やあ　ル　こんにちは」

「この前　レがね」

「うん　何だい？」

「失敗《しっぱい》したの」

「ほう　何を？」

「学校の……」

「ああ　笛のテストだね？」

ファおじさんは思い出しました。

「ぜんぜん　だめだったのかい？」

「うん　だから　私が助けてあげたの」

「ほう　どうやって？」

「先生の　ピアノの上にのって
伴奏《ばんそう》してあげたの」

「ふうん」

ファおじさんはかすかに笑いました。

「みんな　ピアノがひとりでに　鳴り出したから　びっくりしたわ。そのすきに　レはうまく調子を取り戻したの」

「ほう　うまく行ったんだね」

「先生が　ピアノのそばにやって来た時には　もう私は窓の外にいて　みんなを見下ろしていた。誰《だれ》も私に　気付かなかったわ」

「まるで　レは　魔法《まほう》の笛を持っているようだね」

「ええ　みんなもそう思った。先生もレもそう思った」

「ふうん」

ファおじさんは　うなづいてかすかに　にっこりと笑いました。

＊

ミが　あの雨の日　海辺でひろった小石は　透明《とうめい》な石英《せきえい》でした。
小さな石英は　夜の電灯《でんとう》の光の下で　涼《すず》しそうに見えました。
外では　虫たちが　草むらの中で　静かな波のように　鳴き交《か》わしています。
家の中も　外も　むし暑《あつ》い夜でした。
でも　ミは窓をしめ　鍵《かぎ》をかけ　灯《あか》りを消しました。
今夜は　お父さんが夜勤《やきん》で　ミは家にひとりでした。
ミはいつもより　早くふとんに入りました。

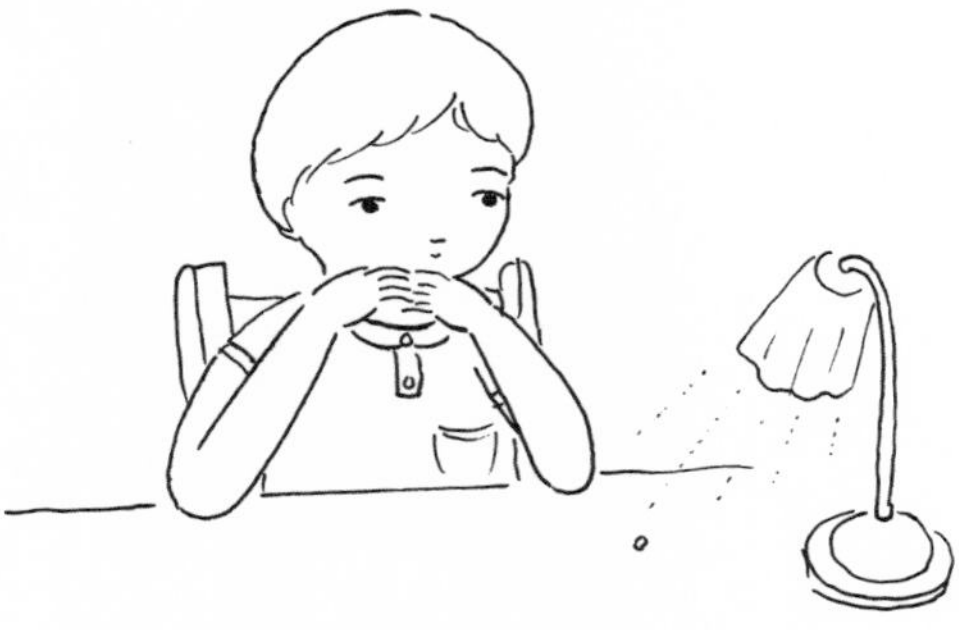

お父さんが夜勤で家にいない日は　いつもそうするのです。
眠ってしまうと　夜はちっとも長く感じませんから。
（でも　どうして……）
ミは　思いました。
（……眠ってしまって　ふっと気付いたら　もう朝なのかしら。ついさっき眠ったみたいなのに　眠ったら　朝はすぐにやって来るんだわ……）
夜の中を　海の波の音がかすかに聞こえました。
ミはしばらく　波の音《おと》や虫の音《ね》に　耳を澄《す》ませながら　眠りにつこうとしました。
けれども　しばらくして　ミは寝返《ねがえ》りをうって　起き上がりました。
（今夜は　どうして眠れないのかな……そうだ　きっと　部屋の中　むし暑いからなんだわ……）
ミは窓を開けました。
でも　そのまま眠ってしまうわけには行かないので　しばらく窓から　空の星や　雲を見ていました。
涼しくて　気持ちのよい風が　ミのまわりにやって来ました。
するとミは　窓のしきいに　頭をもたせかけ　いつの間にか　うとうとと眠ってしまっ

たのでした。

*

ミは　ふっと目が覚《さ》めました。
窓は開いたまま　まだ真夜中《まよなか》でした。
ミは　あわてて　窓をしめようとしました。
そして　はっとして　手を止めました。
すぐそばの　桜の木の下に　向こうをむいて　なんだか見覚えのある人が立っていました。
でもミは　まさかとは思いながら　やはり星明りで　わかったのです。
（レのおじさんが……どうして……ここに……?）
すると　ファおじさんは　空を見上げながら　言いました。
「今晩《こんばん》は　ミ」
「……今晩は……ファおじさん……」
ミは小さな声で　驚《おどろ》きながら答えました。

ファおじさんは　言いました。

「そのまま　眠っていても大丈夫だよ　ミ。今夜は私がここにいるから」

「……え？　でも……」

ミはあんまり驚いたので　もうちっとも眠くありませんでした。

「……でも　もう私　すっかり目が覚めてしまって……」

すると　ファおじさんは言いました。

「そう　それなら　星を見に外においで」

「はい」

ミは　すぐに　縁側《えんがわ》から外に出ました。

すると　ファおじさんは桜の木を離《はな》れて　星のよく見える場所に出て立っていました。

ミはファおじさんのそばに行きました。

「……あの　どうして　ファおじさん　ここにいるのかしら?」

「……星を見に来たんだよ。ここは町中でいちばんよく見えるからね」

「ええ……」

ミはうなづきました。そして　ファおじさんが　手に傘《かさ》を持っているのを　不思議そうに見やりました。

あいかわらず　ファおじさんは　空の星を見ていました。

「あの……雨ふるんですか?」

すると　ファおじさんは　手に持っていた傘を広げて　さしました。

「さあ　ミも　傘の下に入りなさい」

「え?……はい……」

ミは　不思議そうに傘の下に入りました。

そしてファおじさんといっしょに空を見上げました。

でも　空には　いつの間にか雲すらありません。

おかしいなあ……と　ミは思いましたが　ファおじさんが黙《だま》っているので　ミも黙って空を見ていました。

と　その時　空の中に　流れ星がひとつ……ふたつ……と現われはじめました。

あら?……

ミは　驚いて　空を見つめました。
すると　まるで　急に　花火のように　空いっぱい　流星《りゅうせい》が散《ち》りはじめました。
辺りはその光で明るく照《て》らされました。
光は　色とりどりに輝《かがや》いては消え　次々とまた生まれて　雨のように辺《あた》りに降《ふ》りそそいで来るのでした。
流れ星は　傘に　ポツンポツンと当り　地面に落ちて　光のかけらにくだけました。
すると　ミが　まばたきするひまもなく　流星は　現われ始めたと同じくらいあっという間に終ってしまいました。
後には　地面に　まだ燃《も》え残っている光のかけらがちらちらしているだけでした。
ファおじさんは　傘をたたんで言いました。
「やはり　傘を持って来てよかった……」
そうして　ミを見て　かすかににっこり笑いました。
「さあ　その地面に落ちたかけらを拾《ひろ》ってみなさい。

蒸発《じょうはつ》してしまわないうちに」

「え？……」

ミは驚いて地面にかがみました。

すると　ほんとうに　光のかけらは　どんどん　消えて行きます。

でも　消えていない光はまだ　炎《ほのお》を発しているのです。

「さあ」ファおじさんは言いました。

ミはおそるおそる　手をのばし　そのひとつをひろい上げましたが　ちっとも熱くはありませんでした。

手のひらの上で　それは　ぽうっと　りんのように　紫色《むらさきいろ》に燃えました。

「ひろっておけば　蒸発はしないからね」

「ふうん……」

ミは　もうひとつ　と手をのばしました。

ところが他の光は　もうすっかりなくなっていました。

いつの間にか辺りはとても涼しく　気持よくなっていました。

なんだかそれはほんとうに雨あがりの後のような感じでした。

「さあミ　東の空がもうじき　ほんの少し明るくなるから　その前に家に入りなさい」

「はい……」

ミは立ち上がりました。

「あの……」

ミはファおじさんに何か言おうとしましたが

ファおじさんは　町の遠くの光をみつめて何か

考え事をしているふうに見えました。

それからミは　言われた通り家に入り　もう

一度　窓のところから桜の木を見やりました。

でも　ファおじさんは　いつの間に帰ったの

か　もうどこにもいませんでした。

ミはなんだか　ふと　自分が今まで夢を見て

いたような気がしました。

そして　手のひらを開けてみました。

でもやはり　そこには　ぼんやりと紫《むらさき》色に

光る小石があるのでした。

ミはそれを　机の上に　そっと置いて　ふと

んに入りました。
それから　ミはすぐに眠りにつきました。

＊

翌朝《よくあさ》　目を覚ますと　もう　お父さんが帰っていて　朝のしたくをしていました。
「父さん……」
ミは　ふとんの中から呼びかけました。
そして　きのうひろった　光る小石をみせてあげよう　と　起き上がって机の上を見ました。
でもそこには　いつかひろった　海辺の小さな石英《せきえい》がのっているだけで　他には何もありませんでした。

忘れ物（9月のスケッチ）

学校帰りのラのそばを　レがすばやく駆けぬけました。
「どうしたの？」
「学校に　宿題《しゅくだい》のノート忘れたの」
そう言って　レは急いで駆《か》けて行ってしまいました。
ラはしばらく家の門の外で　そのうしろ姿《すがた》を見送っていました。
それから　ラは　ふと　雲のない空を見上げました。

……ふうん　もう　いつの間にか　日がみじかくなった……
太陽は空低く　西の山に近くなっています。
ラがもう一度　通りに目を戻すと　レの姿はありませんでした。

＊

レの学校は　ミの家のある小さな山のつづきの　丘のてっぺんにあります。
校舎《こうしゃ》に入れてくれた用務員《ようむいん》のおじさんにお礼を言って　レは外に出て来ました。
そして　レは　思わず立ち止まりました。
レの目の前に　大きな大きな夕日があったのでした。

それは西の山の端《はし》すれすれに　浮かんで　じっとみつめていても　ちっともまぶしくない夕日でした。手をのばせば　ほんとうにさわれそうなくらい間近《まぢか》です。
なんだか　大きなお盆《ぼん》みたいだ　とレは思いました。
すると　いつの間にか　用務員のおじさんも外に出て　ふうん　と言いながら　それを見ていました。
夕日がすっかり沈《しず》んでしまうと　辺りは　涼《すず》しい空気でいっぱいでした。

「……もう　夏も　終わりだなあ」
と用務員のおじさんは　ひとり言《ごと》のように言《い》いました。
レは黙《だま》って　こっくりと　うなづきました。

＊

まだまだ　それでも　空は明るく　丘の木々は　静かに　どこからとも知れない　光に包まれているように見えました。

レは　丘のすそをぐるりと遠まわりしながら　ゆっくり帰りました。

町へ続く通りへ出ると
おや
向こうからやって来るのは　ミでした。

「あ　ミ　おつかい？」

「うん　レは？」

「これ　忘れたんだ」

レは　宿題のノートを見せました。

「あ　ふうん　宿題あったね」

「うん　ミ　もうした？」

「ううん　まだ」

ふと　レは　おや　というふうに頭をめぐらせました。

「どうしたの？」

「うん　今　とてもいい匂いが……」

ミは　ちょっと笑いました。

「レ　お腹《なか》　空《す》いたんでしょう」

「ううん　空いたけど　何のだろって……」

「あ　これかな……？」

ミは買《か》い物袋《ものぶくろ》の中から　レモンをひとつとり出しました。

「これ　八百屋《やおや》のおばさんが　くれたの」

「ふうん」

レは手にとって匂《にお》いをかぎました。

するとその時　レは　ふっと　さっきのあの大きな夕日が手の中にあるかのような気がしました。
「あ……これ　夕日の匂い」
「え？……」
ミは　不思議そうにレを見ました。

星（9月のスケッチ2）

夜になると　外ははげしく風が吹いていました。
ラは部屋の中で　ふと耳をすませました。
風の音が　家々の庭の木々や下草を大きく鳴《な》らしました。
トタン屋根《やね》も　揺《ゆ》れるように　鳴っていました。
けれども　時々　風は静かに　おさまりました。
それは　あたかも　空が長い呼吸《こきゅう》をしているようでした。
そしてその風の静かな時に　虫の音《ね》がしきりにしているのがわかりました。
何だかその音《おと》は　小さな車輪《しゃりん》が　草の間を無数《むすう》にりんりんときしみながら走ってでもいるように思えました。
（……こんなに風が吹いているのに　虫たちのいる草の奥《おく》には風がとどかないで　ひっ

そりしているんだわ……）

ラは　少しカーテンを開けてみました。

すると　空には　町の光に明るく照らされた低いちぎれ雲が　光りながら次々と流れて行くのでした。

そして天頂《てっぺん》の辺りに　明るい星がまたたきもせずにじっと輝いていました。

星は流れて行く大波のような雲の間で　燈台《とうだい》のように動きません。

こんなにも風が吹いているのに　草の奥には　あの星のところと同じように静かな場所があるのが　なんだか不思議に思えました。

すると　ふと　ラの心の中も静かになりました。

（……毎日　毎日は　こんな風のようだわ……）

ラはもう一度耳をすませました。

大きな風が　虫の音をすっかり消し　雲が星をかくしました。

（……でも　心の奥のどこかでは　いつも　草の奥や星の居場所《いばしょ》のように　しんとしている……）

長いこと　風はそうやってから　やがておさまり　雲の間から　星がまた　姿を現わしました。

海の音（9月のスケッチ3）

秋のはじめのある日　捕虫網《ほちゅうあみ》を持った二人は　いつの間にか林の奥《おく》に来ていました。

山の林の中は　あまり　日も射《さ》さず　涼しい空気でいっぱいでした。

「今日は　チョウも　とんぼもみつからないね……」

レは　立ち止まって辺りを見まわしました。

「うん……」

ミも立ち止まって辺りを見まわしました。

山の奥のどこかで　まだ　つくつくぼうしが　途《と》切《ぎ》れ途切れに鳴いていました。

「あら……」

ミが　空を見上げて言いました。

レも見上げました。

「何?……」

「ほら……月……白い月……」

「あ……ほんとだ……ちょうど枝《えだ》の間だね」

「うん　もう少し　みつけるの遅《おそ》かったら　もう木にかくれて見えなかった」

「うん　もう少し　早くっても　まだ葉っぱのうしろにかくれていたしね」

白い月は　ちょうど　木の葉のすき間の　ほんの小さな空の囲《かこ》みの中にありました。

レは　その空に向かって　捕虫網をさっと　ふりました。

「何かいいたの？」

ミが驚いてききました。

「ううん　白い月　蝶《ちょう》のかわりに　とったつもり」

「ふうん」

ミは　ちょっと笑いました。

「あ……」

ミはまた空を見上げました。

レも見上げました。

すると　もう　白い月は消えていました。

＊

ラは　庭に木の椅子《いす》を持ち出して本を読んでいました。

するといけがきの外に白いものがちらちらするのが　目の端《はし》に見えました。

目を上げると　捕虫網と　レの髪《かみ》の毛がその向こうにゆれているのが見えました。

「何してるの?」

レはいけがきの外から　庭をのぞきました。

「うん……何も」

ラは　ちょっと笑って言いました。

「でも　本　読んでたんじゃない？」

レは　ラのひざの上にひろげられた本を見て言いました。

「うん　本　見てただけ。ちっとも　読んでない」

「ふうん　またぼんやり考え事？」

「うん」

「何考えてたの？」

「うん……何かな　いろいろ」

「いろいろ　どんなの？」

「うん……忘れちゃった」

「ふうん」

レはどうして　ラのひたいが光っているのだろうと思いました。

でもそれは　夕日が　どこかの窓ガラスに反射しているらしいのでした。

「レ　何か　捕《と》れたの？」

「ううん　何にも」

「ずっと今まで　さがしていたの？」

「うん　そうでもない」

「何してたの？」

「うん　何かな　いろいろ」

「いろいろ　どんなの？」

「うん　いろいろ」

「ふうん　私と同じね」

「うん　ねえさんと同じ」

レは　庭の中に入りました。

「ねえさんも　何か　さがしたの？」

「え？」

ラは首をかしげました。

「ほら　ぼんやり考えながら　何か
心の中でさがしたの？」

「ええ……そうかもね」

「みつかった？」

「ううん　何にも」

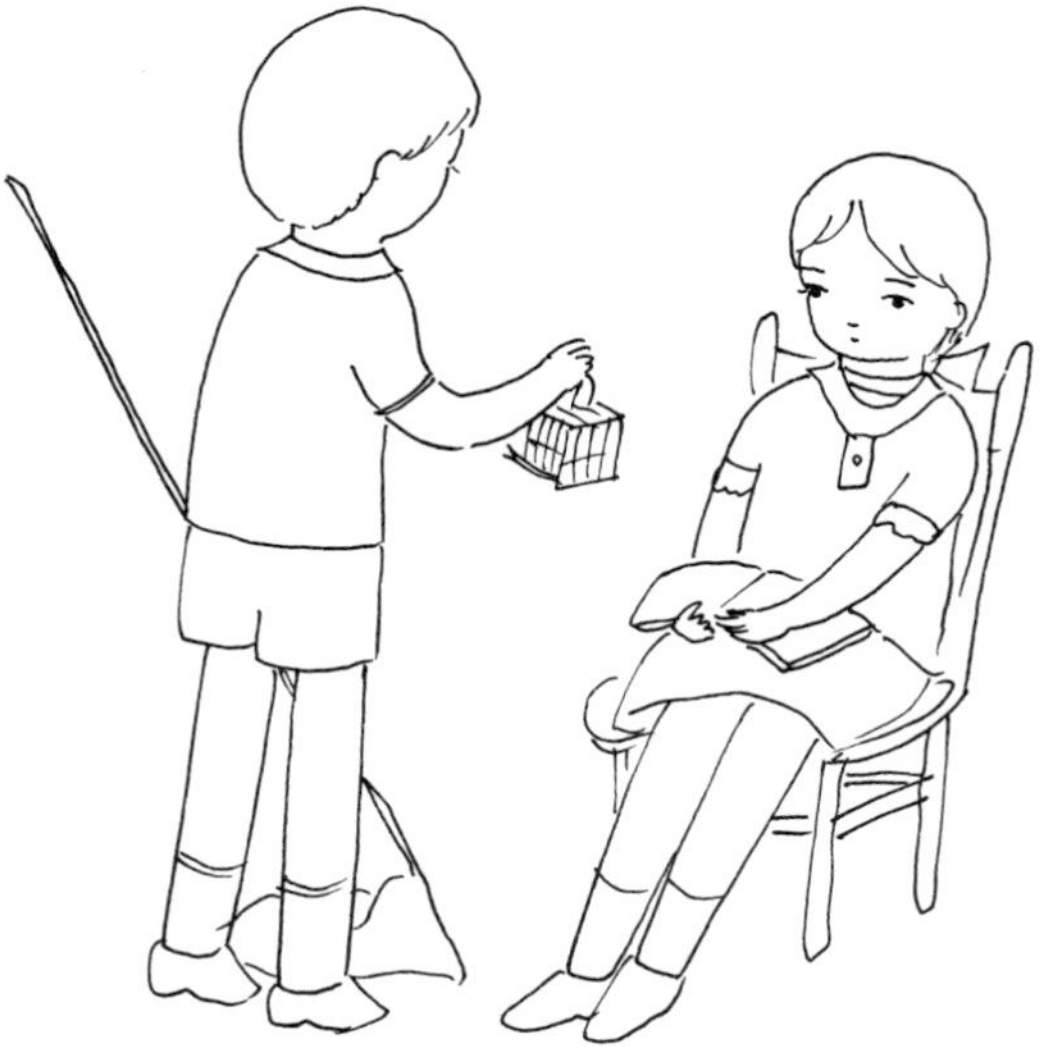

「ふうん　僕と同じだね」

「うん　レと同じ」

レは　からの虫かごを　ラの本の上にのせました。

そして捕虫網を桜の木にたてかけました。

「のどかわいちゃった　水飲んで来る」

レは台所の裏口《うらぐち》の方へまわって行きました。

ラはひざの上の虫かごをちょっとのぞき　それからそれを　地面の上に置きました。
すると　目の前に　夕方のかすかな風にゆれている影《かげ》がありました。
それは今さっき　レのたてかけた　捕虫網の影でした。
あら……
ラは　じっとそれを見つめました。
何かしら……
確かに　捕虫網の影の中に　ゆらゆら蝶《ちょう》の影が動いているのでした。
いつのまに……
ラはかがんだまま　ふり返って　夕日のあたった捕虫網を見やりました。

あら……

その中には何も入っていません。

ラはもう一度地面の影を見やりました。

すると　蝶の影も消えていました。

ラはちょっと目をこすって本を閉じました。自分がさっき心の中でさがしていたものも　すっかり消えてしまったような気がしました。

それからラは　大きく息をついて　椅子をひきずりながら家の中に入りました。

贈り物（望月《もちづき》のスケッチ）

「きょうは……」
玄関《げんかん》で　ラが言いました。
「うん　知ってるよ」
レはちょっと笑って　すぐに言いました。
「そう」
ラもちょっと　笑いました。
それから二人は　それぞれの学校の方へ出かけました。
空は　夏の時より　もっと高くまで透《す》き通って見えるようでした。
その中に　巻雲《まきぐも》がいくつか　並んでいました。
ラは　しばらく立ち止まって　それを見ていました。

*

日が暮れて　空がすっかり藍色《あいいろ》になった頃　レは　ようやく学校から帰って来ました。レは　また　お母さんに小言《こごと》を言《い》われています。ラが　耳を澄ますと　階下《した》から　レが「お日様の方が先に帰っちゃったんだ」と言っているい声が聞こえました。

やがて　レは　階段《かいだん》を上ってきて　ラの部屋をノックしました。

何だろう　とラは思いました。

ドアを開けると　レは何やら　いたずらっぽそうに　笑っています。

ラは用心して

「何？」

とききました。

「うん　ほら」

レは　うしろから　たくさん貝がらのつまった網《あみ》の袋《ふくろ》を取り出しました。

「あ　ふうん　今まで　海辺《うみべ》で　それ　拾《ひろ》ってたの？」

「うん　そうだよ　あげるよ」

「あ　ふうん　ありがとう」

ラは　ちょっと戸惑《とまど》って　にっこり笑いました。

すると　レはぱたんと戸をしめて　自分の部屋に行ってしまいました。

ラはぼんやり　部屋の真中《まんなか》につったったまま　考えました。

……どうして　レ　わざわざ　私にこんなにくれるのかな……せっかく　とって来たのに……

ラは　その貝がらを机《つくえ》いっぱいに　広げてみました。

ふうっと　海辺の匂《にお》いがしました。

すると　突然　ラは思い出しました。

（そうだ　今日は私の誕生日《たんじょうび》だった……）

ラは　机の上をみつめました。
（ふうん　今朝《けさ》　レが〝知ってるよ〟って言ったの　このこと……私　〝今日は十五夜《じゅうごや》よ〟って　言おうとしたのに……）
ラは　カーテンを開けてみました。
でも　外は　あいにく　うっすらとくもって　月も　ぼんやりと　そのうしろに隠れてにじんで見えました。

＊

その夜　雲は　ずっと晴れることはありませんでした。
でも　時々　雲は　晴れ間を作って　十五夜の光を町いっぱいに照らしました。
　すると屋根も　丘の木々も　道ばたの並木《なみき》も　燃《も》える燐《りん》をつつむように　ぼうっと見えました。

けれども　夜遅《よるおそ》く　そんな光を見ている人はいませんでした。
やがて　月は南の空から　わずかに西の方へ傾《かたむ》きました。
すると　雲間からもれた光は　レの部屋のカーテンのすき間から　レの顔をまぶしく照《て》らしました。

＊

レが目を覚ましたのは　光のせいばかりではありません。
レは　半《なか》ば　うとうとしながら　あれは何の音だろう　と思っていました。
きそく正しく　……きそく正しく　……水の音……水を打つ音……
静かにゆっくりと……近づいたり……遠《とお》ざかったりするのです。
水なんて……どうして　ここに　あるんだろう……
レはやがて　はっきりと目を覚ましました。

月は　雲に隠《かく》れて　また光が弱まりました。
レはカーテンを　きちんと閉《し》めようと　窓を見やりました。
そうして　目をこすりました。
きっと　起きたばかりで　目が少しおかしいのだろうと　またこすりました。
でも　それは　目のせいではないのです。
レの部屋のカーテンに映《うつ》っている光は　確《たし》かに　水の反映《かげ》を網《あみ》のように映して　ゆらゆら波立っているのです。
……おかしいなあ……
レは思わずベッドから下りて　カーテンを開けました。
すると　二階の窓の下に水面がずうっと広がっているのでした。
洪水《こうずい》だろうか　と　レは急いで窓を開けました。
　でも　水は　そこにあるのに　庭も　他の家の屋根も木立《こだ》ちも道も

みんな　月のぼんやりした光に　くっきりと見えているのです。
レはおそるおそる　水の中に手を入れてみました。
すると　それは　やはり　つめたいほんとうの水でした。
やっぱり　洪水だよ　でもこんなに透明な洪水なんて……あるのかなあ……
すると　またさっきの　水を打つ音がして来ました。

＊

そして　クックックッ　と笑う声がしました。
そちらを見やると　向こうから　光る水の上を　小さなボートが近づいて来るのでした。

ボートは長い光の尾《お》をつくりながら　まるで空中に浮いているように　庭の木々の上をすべって来ました。

すると　少し　月の光が　明るくなりました。

「あ……」

レは思わず身をのり出しました。

ボートはすぐに　窓のそばまでやって来ました。

「ほら　もう町内をぐるっとまわってきちゃった……」

ボートの中から声がして　小さく笑いました。

「あ……　ふうん……　ねえさん……　どうしてボートに乗ってるの？」

レは驚いて　ききました。

ボートに乗っているのは　ラなのでした。

「うん……ふと目が覚めたら外にボートがあったの」

「ふうん……でも……どうして洪水になっちゃったの？　みんな大丈夫《だいじょうぶ》？」

「うん　大丈夫みたい。だってさっき　おまわりさんが自転車で下走ってったもの」

「あ　ふうん……おかしいね……」

でもレは　水の中を走っている　おまわりさんが　おかしいのか　ボートでその上を走っている　ラが　おかしいのかよくわかりませんでした。

レはそれよりも　早くそのボートに乗ってみたいと思いました。

「ね　僕も　乗っていい？」

「うん　ちょうど　二人乗れるわ」

そこでレは　苦心《くしん》して　窓から　そのボートに乗り移りました。

「ね　今　僕　ボートから落っこちたら　庭の中に落ちるの？　それとも　水に浮《う》く？」

「さあ。やってみないとわからないわ」

ラは　まじめな顔で言いました。

「ふうん　それなら

わからなくてもいいよ」
レは　下をのぞき込んで言いました。
まるでそこには水などないみたいで　ボートはほんとうに　宙《ちゅう》に浮いているようでした。
レはなんだか　ボートごと下に落ちそうで　少しひやりとしました。
「僕　遠《とお》く見てよう」
ラは　にっこり笑いました。
ラも　遠くを見ていました。
かいを動かすと　ボートはゆっくりと　レの部屋の窓を離れました。
そして　いつも学校へ行く細い小道《こみち》の上に出てやがて少し大きな通りへ出ました。
するといつの間にか　ボートは高く昇《のぼ》って　屋根屋根がみんな水の下になりました。
街灯《がいとう》の光が　下をいくつも流れて行きます。
「ね　僕たち　もっと　街の真中《まんなか》まで行ってみようよ」
「うん　そうね。さっき　私ひとりで心細かったから……今度は行けるわ」
ボートは　いくつもいくつも　屋根を越え　木々を越えました。
うしろをふり返ると　ボートのつけた波だけが　月のぼんやりした光に　くっきりと金色に見えました。

あとは水の気配《けはい》もありません。

レはもう一度　手をのばしてみました。

するとなんだか　ほんとうに
水の気配がありません。

「……おかしな水だね」

「……うん　ほんとう」

ラも　しばらく　こぐ
のをやめて休みました。

「僕　かわる？」

「ううん　危《あぶ》ないから
だめよ　途中《とちゅう》で入れかわ
るの」

「うん　そうか」

レは　おそるおそる下を見ました。

すると　街のいろいろな光が流れて行きます。

「まだ　起きてる人　いるんだね」

「うん　仕事したりしてるのね」

「うん」

ふと　レは　その灯《あか》りのひとつの中には　ミのお父さんもいるのかも知れない　と思いました。

ミの家のある山の方をふり返ると　光るものは何も見えませんでした。

「山の方　どうなっているのかなあ。あそこまで行ったら　途中で山にぶつかっちゃうのかな」

「うん　きっと　そうね」

「おかしいねえ」

「うん　ほら　海の方だって……海の上にも水あるのかしらね」

「うん　そうだね」

レは海の方をふり返りました。

海は光を受けて　波の様子《ようす》がずい分こまかく見えました。

でもその上の水の波は　何も見えませんでした。

ふと　レは思いました。

「ねえさん　今　僕たち　夢みてるの?」

「うん　どっち?　私?　レ?」

「うん　どっちかな　きっと僕は僕の夢だと思うな」

「ふうん　私は私の夢だと思う」

「でも　僕さっきからだんだん涼しくなって来たよ。こんなに涼しい夢ってある?」

「うん　私だって少し寒いわ。セーター持って来るとよかった」

「じゃ　これ　やっぱり夢じゃないの?」

「うん　私もわからないわ」

「あ　ほら　丘《おか》だよ　ファおじさんの」

ラは　うしろをふり返りました。

「あら　ファおじさん　起きてるみたい」

「うん　ほんとだ　窓に灯《あか》りがついてる……そうだ　ねファおじさんに　きいてみようよ　これ　夢なのか　そうじゃないのか」

「ええ　そうね　それがいいわ」

そこで　ラは　ボートを丘の方に向けました。

「ファおじさんのアパートまで　水とどくかな」

「うん　丘の中腹《ちゅうふく》で　ぶつかっちゃうかも知れないわね」

ラは　うしろを気にしながらこいで行きました。

「レ　ちゃんと見ててよ。ぶつからないように」

「うん。でも　もしさ　だれかの家の窓の中につっこんじゃったら　みんなびっくりするね」

「うん　明日の朝　みんなが　起きると　高い屋根の上に　ボートがのってて　私たち降《お》りられずに　べそかいてるの」

「ふうん　でも僕はきっと　べそかかないよ」

「あ　ふうん」

ラは　ちょっと鼻《はな》で　ふふん　と言いました。

するとレは　思わず両手で　ボートにしがみつきました。

「丘　思ったよりすぐそばだ　気をつけて」

ラも驚いてオールでブレーキをかけました。

「ほんとう。暗いから距離《きょり》がよくわからないわ」

「ゆっくり進んで」

「うん。ファおじさんのアパート　まだまだ?」

「うん　丘のどこかで降りなくちゃ。屋根の上じゃないところでね」

「ええ　もちろん」

ラは　ゆっくりとボートをこいで行きました。

「レ　ちゃんと見ててよ」

「うん　見てるよ　でも……」

「……どうしたの?」

「おかしいなあ……ちっとも丘にぶつからないね」

「あたりまえよ　ぶつかったら困るもの」

「そうじゃないよ　なんだか僕たちのボート　丘の坂道　登《のぼ》ってるみたいだよ」

「え？」

ラはしばらくこぐのを止《や》めて　ふり返りました。

すると　ほんとうに　ボートは　丘の坂道に沿《そ》って　ずんずん上にすべって行くのです。

「……どうなってるのかしら　この水」

「うん……」

レは　うしろをふり返ってみました。

すると　ボートのつけた　波のすじが　やはりくっきりと月の光に照らされて　銀《ぎん》のくさりのようです。

「水が　ずんずん　増《ふ》えて来たのかなあ」

「さあ……」

そうこうしているうちに　ボートは　とうとう　ファおじさんのアパートの窓のところまで　来てしまいました。

「ねえさん　うまくこがないと　ファおじさんの窓につっ込んじゃうよ」

「うん　いま止めるわ」

ラは　もう一度　オールでブレーキをかけました。

でも少し遅すぎました。

ボートは　アパートの壁《かべ》にドンとぶつかって　二人とも思わず　ボートにしがみつきました。
でも幸《さいわ》い　ころげ落ちることはありませんでした。
「窓に　ぶつからなくて　よかったね」
レが起き上がりながら言いました。
「うん　でも　手のひじすりむいたわ」
ラは　そこにちょっとつばをつけました。
すると　声がしました。
「君たち　まだ夜《よ》あそびしてるのかね」
見上げると　ファおじさんが　ちょっとこわいかおで　窓から二人を見下ろしていました。
「あ　ファおじさん」

「ファおじさん　こんばんは」

「もうじき夜が明ける。だから壁をどん　とたたいたりしてはいけない」

「はい」

「はい」

ファおじさんは　まじめな顔でうなづきました。

「ファおじさん　僕たち　ききに来たんだよ。僕たち……」

レは言いかけて　ラの方を見ました。

なんだか　いざ聞こうとすると　とても　ばかばかしいようにも思えます。

ラもなんだかそんな顔をしています。

「用がないのだったら　早くお帰り。寒そうな顔　してるじゃないか」

ファおじさんは　大きなタオルを二つ　ボートの中に投げ入れました。

二人は　すぐに　それで体を包みました。

「さ　早くお帰り。夜あそびは　ここまでだよ」

「はい」

「はい」

ラはすぐに　ボートを窓から離《はな》しました。

やがて間もなくファおじさんも　窓の奥《おく》にひっ込んでしまいました。

ボートは　するすると　丘を下りました。

そして　帰りは　あっという間に　丘の中腹《ちゅうふく》まで降りて来て
街の中へ流れ出ました。

「ね　やっぱり　さっき　ファおじさんに聞けばよかったね」

「うん……でも……ファおじさん　どうしてさっき　ちっとも不《ふ》思議《しぎ》そうな顔してなかったのかしら」

「そういえば　ほんとう……」

二人は　しばらく黙《だま》っていました。

「……ねえさん　僕　今思ったんだ」

「え？　何を？」

ラは　ボートをこぎながら聞きました。

「うん　あのね　きっと　このボート
今夜だけ　ファおじさんが　ねえさんにくれたんだよ」

「ふうん　どうして？」

「だって　ねえさんの誕生日だからさ」

「ふうん　そうか……」

ラは　そんなような気もしました。

「ふうん　ファおじさん　もう私が中学生になったから　誕生日の贈《おく》り物　おしまいな

のかと思った」
「うん　そうじゃないんだよ　ブルルッ」
レは思わず　くしゃみをしました。
ラもつられて　くしゃみをしました。
やがて二人が自分の部屋に帰った時には　東の空がもうかすかに白くなっていました。
そして　寝る前に　もう一度外を見ると　水も　ボートも　ありませんでした。

＊

翌朝《よくあさ》　二人はとても朝ねぼうをしました。
でも　学校には遅刻《ちこく》した訳ではありません。
それどころか　二人とも風邪《かぜ》を引いて　三日間　学校を休みました。

いわた　みちお

1956年網走市に生まれる。

北海道大学理学部入学、卒業目前に中退。以後、創作に専念し絵画や詩、童話を制作する。童話は佐藤さとる氏に師事。同人誌『鬼が島通信』に投稿するかたわら、童話と散文集『雲の教室』と詩集『ミクロコスモス・ノアの動物たち』を出版。

拠点を旭川に移し、旭川の自然を中心に描く。1992年童話集『雲の教室』（国土社）で日本児童文芸家協会新人賞を受賞。

1996年旭川の嵐山をテーマにした詩画集『チノミシリ』出版。

2014年7月心臓発作のため、数多くの作品を残したまま急逝。

新刊に『イーム・ノームと森の仲間たち』、ふくふく絵本シリーズ（未知谷）がある。

ファおじさん物語《ものがたり》
春と夏

2020年 2 月20日初版印刷
2020年 3 月 5 日初版発行

著者　岩田道夫
発行者　飯島徹
発行所　未知谷
東京都千代田区神田猿楽町 2-5-9　〒 101-0064
Tel. 03-5281-3751 / Fax. 03-5281-3752
［振替］ 00130-4-653627

組版　柏木薫
印刷所　ディグ
製本所　難波製本

Publisher Michitani Co, Ltd., Tokyo
Printed in Japan
ISBN 978-4-89642-603-8　C0095

湖へ
駅
レとミの小学校
ラの中学校
川ぞいの公園
の中心
ファおじさんのアパート
ルの住む丘の林